💻 デジタル事業

新聞製作

🌲 環境対策

📖 新聞と読者

📖 資料編

🏛 新聞協会

★印のデータは、日本新聞協会のウェブサイト
（https://www.pressnet.or.jp/）に調査結果を
随時新しい数値に更新していますので、併せてご

JN061182

日本の新聞社マップ

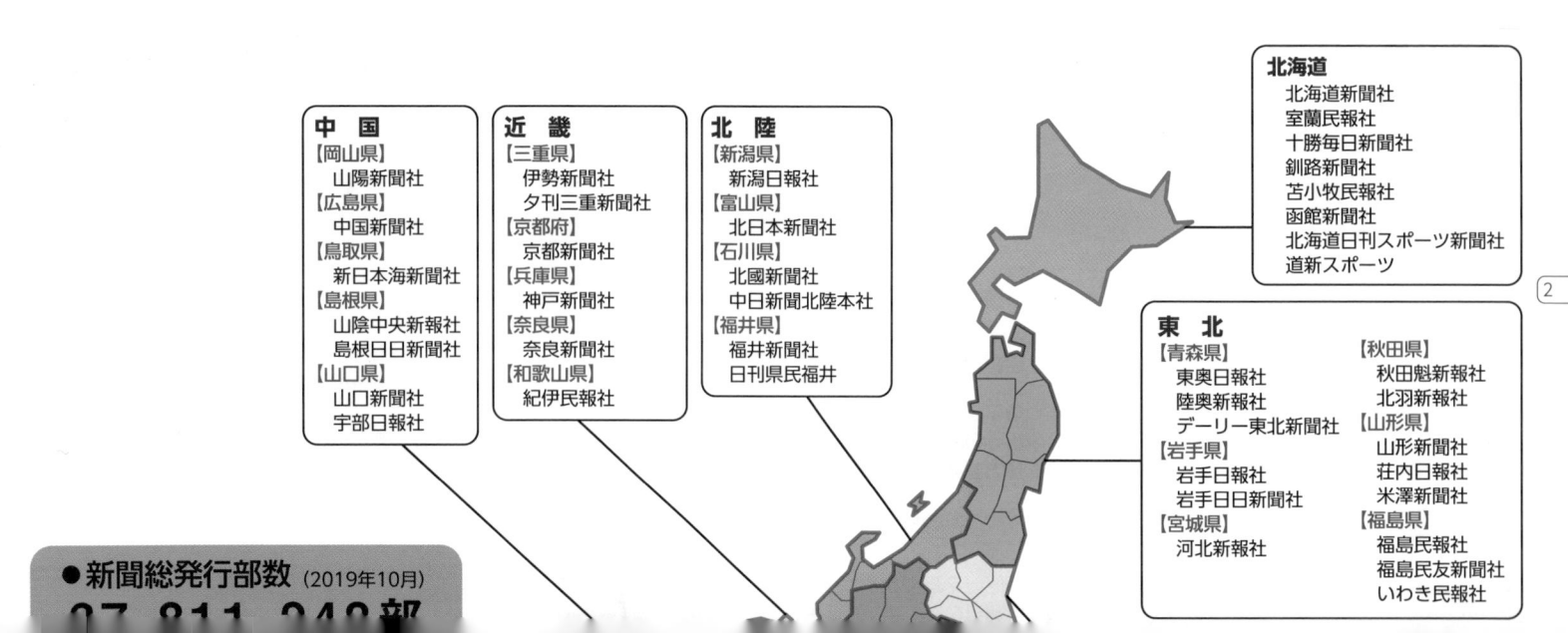

中 国
【岡山県】
　山陽新聞社
【広島県】
　中国新聞社
【鳥取県】
　新日本海新聞社
【島根県】
　山陰中央新報社
　島根日日新聞社
【山口県】
　山口新聞社
　宇部日報社

近 畿
【三重県】
　伊勢新聞社
　夕刊三重新聞社
【京都府】
　京都新聞社
【兵庫県】
　神戸新聞社
【奈良県】
　奈良新聞社
【和歌山県】
　紀伊民報社

北 陸
【新潟県】
　新潟日報社
【富山県】
　北日本新聞社
【石川県】
　北國新聞社
　中日新聞北陸本社
【福井県】
　福井新聞社
　日刊県民福井

北海道
　北海道新聞社
　室蘭民報社
　十勝毎日新聞社
　釧路新聞社
　苫小牧民報社
　函館新聞社
　北海道日刊スポーツ新聞社
　道新スポーツ

東 北
【青森県】
　東奥日報社
　陸奥新報社
　デーリー東北新聞社
【岩手県】
　岩手日報社
　岩手日日新聞社
【宮城県】
　河北新報社

【秋田県】
　秋田魁新報社
　北羽新報社
【山形県】
　山形新聞社
　荘内日報社
　米澤新聞社
【福島県】
　福島民報社
　福島民友新聞社
　いわき民報社

● 新聞総発行部数（2019年10月）

九州・沖縄
【福岡県】
　西日本新聞社
　朝日新聞西部本社
　毎日新聞西部本社
　読売新聞西部本社
【佐賀県】
　佐賀新聞社
【長崎県】
　長崎新聞社
【熊本県】
　熊本日日新聞社
【大分県】
　大分合同新聞社
【宮崎県】
　宮崎日日新聞社
　夕刊デイリー新聞社
【鹿児島県】
　南日本新聞社
　南海日日新聞社（奄美大島）
【沖縄県】
　沖縄タイムス社
　琉球新報社
　八重山毎日新聞（石垣島）
　宮古毎日新聞社（宮古島）

四　国
【徳島県】
　徳島新聞社
【香川県】
　四国新聞社
【愛媛県】
　愛媛新聞社
【高知県】
　高知新聞社

大　阪
　朝日新聞大阪本社
　毎日新聞大阪本社
　読売新聞大阪本社
　日本経済新聞大阪本社
　産経新聞大阪本社
　日刊スポーツ新聞西日本

中　部
【山梨県】
　山梨日日新聞社
【静岡県】
　静岡新聞社
【長野県】
　信濃毎日新聞社
　長野日報社
　南信州新聞社
　市民タイムス
【愛知県】
　中日新聞社
　中部経済新聞社
　東愛知新聞社
【岐阜県】
　岐阜新聞社

関　東
【茨城県】　　　　【埼玉県】
　茨城新聞社　　　埼玉新聞社
【栃木県】　　　　【神奈川県】
　下野新聞社　　　神奈川新聞社
【群馬県】　　　　【千葉県】
　上毛新聞社　　　千葉日報社
　桐生タイムス社

東　京
　朝日新聞東京本社　　　日刊工業新聞社
　毎日新聞東京本社　　　日刊スポーツ新聞社
　読売新聞東京本社　　　日本工業新聞社
　日本経済新聞社　　　　スポーツニッポン新聞社
　東京新聞　　　　　　　東京スポーツ新聞社
　産経新聞東京本社　　　電波新聞社
　サンケイスポーツ　　　日本海事新聞社
　夕刊フジ　　　　　　　水産経済新聞社
　ジャパンタイムズ　　　日本農業新聞
　報知新聞社

3

2020年3月1日現在、一般社団法人日本新聞協会に加盟している新聞社。新聞協会にはこのほか通信社・放送社も加盟しています

日刊紙の都道府県別発行部数と普及度

府 県	発 行 部 数				普 及 度	
	計	セット	朝刊	夕刊	1部あたり人口	1世帯あたり部数
合計	37,811,248	8,422,099	28,554,249	834,900	3.30	0.66
東京	3,839,118	1,484,457	2,138,967	215,694	3.44	0.56
大阪	2,774,956	1,364,092	1,322,329	88,535	3.10	0.67
北海道	1,646,829	457,558	1,052,400	136,871	3.20	0.60
青森	413,842	203,085	209,165	1,592	3.11	0.70
岩手	347,051	57	346,410	584	3.58	0.66
宮城	611,385	41,585	568,111	1,689	3.73	0.62
秋田	322,493	15	321,704	774	3.09	0.76
山形	364,545	16	363,880	649	2.98	0.89
福島	616,346	2	605,681	10,663	3.06	0.79
茨城	936,530	24,218	910,329	1,983	3.07	0.77
栃木	636,063	4,823	629,021	2,219	3.04	0.78
群馬	710,415	3,309	693,548	13,558	2.71	0.87
埼玉	2,039,174	356,493	1,671,117	11,564	3.53	0.63
千葉	1,739,608	402,509	1,321,742	15,357	3.54	0.62
神奈川	2,491,949	860,475	1,588,414	43,060	3.60	0.59
新潟	664,006	38,394	620,415	5,197	3.38	0.75
富山	391,339	1,999	383,288	6,052	2.67	0.95
石川	441,533	57,339	381,373	2,821	2.56	0.93
福井	260,361	1	255,597	4,763	2.96	0.91
山梨	288,800	902	287,046	852	2.83	0.82
長野	772,770	33,870	735,678	3,222	2.67	0.91

4

《新聞の定価》

　新聞は全国一律の定価販売が認められています。いろいろな新聞があることで、国民の誰もが日々の生活に欠かせない社会・経済・政治などの情報を平等に入手できる環境を整備するためです（独占禁止法・新聞業における特殊指定）。

愛知	2,169,694	405,914	1,715,027	48,753	3.37	0.69
滋賀	432,142	47,255	383,062	1,825	3.22	0.77
三重	559,450	42,738	499,219	17,493	3.17	0.73
京都	840,641	347,417	474,867	18,357	2.97	0.71
奈良	510,490	208,428	299,546	2,516	2.65	0.87
和歌山	311,199	51,491	224,130	35,578	3.08	0.71
兵庫	1,736,118	659,500	1,052,883	23,735	3.15	0.70
鳥取	216,534	2	215,370	1,162	2.59	0.92
岡山	545,502	28,286	514,157	3,059	3.45	0.66
広島	872,840	41	871,611	1,188	3.19	0.68
島根	266,196	0	265,906	290	2.54	0.93
山口	496,578	5,611	441,655	49,312	2.75	0.76
徳島	255,844	21,722	232,907	1,215	2.91	0.77
香川	314,752	13	313,071	1,668	3.10	0.73
愛媛	376,158	0	374,904	1,254	3.64	0.58
高知	196,831	102,133	94,030	668	3.62	0.56
福岡	1,336,607	193,245	1,141,007	2,355	3.78	0.56
佐賀	217,041	419	216,591	31	3.79	0.66
長崎	348,352	2	348,333	17	3.89	0.56
熊本	381,516	30,411	350,742	363	4.63	0.50
大分	330,508	191,361	138,505	642	3.47	0.63
宮崎	318,379	0	280,696	37,683	3.45	0.61
鹿児島	350,472	8	350,445	19	4.66	0.44
沖縄	346,026	1,667	344,346	13	4.22	0.54
海外	19,086	994	18,077	15		

新聞協会経営業務部「日刊紙の都道府県別発行部数と普及度」(2019年10月)より
「計」は、朝夕刊セットを1部として算出した場合の、セット紙35紙、朝刊単独紙69紙、夕刊単独紙12紙、合計116紙の部数
セット紙とは、朝夕刊セットで発行されている新聞。「普及度」は19年1月1日現在の「住民基本台帳」による人口、世帯数をもとに算出

新聞の発行部数と世帯数

	発行部数合計	発行形態別			種類別		世帯数	1世帯当たり部数
		セット部数	朝刊単独部数	夕刊単独部数	一般紙	スポーツ紙		
2009年	50,352,831	14,727,162	34,399,779	1,225,890	45,659,885	4,692,946	52,877,802	0.95
10	49,321,840	13,877,495	34,259,015	1,185,330	44,906,720	4,415,120	53,362,801	0.92
11	48,345,304	13,235,658	33,975,622	1,134,024	44,091,335	4,253,969	53,549,522	0.90
12	47,777,913	12,876,612	33,827,147	1,074,154	43,723,161	4,054,752	54,171,475	0.88
13	46,999,468	12,396,510	33,552,159	1,050,799	43,126,352	3,873,116	54,594,744	0.86
14	45,362,672	11,356,360	32,979,682	1,026,630	41,687,125	3,675,547	54,952,108	0.83
15	44,246,688	10,874,446	32,365,532	1,006,710	40,691,869	3,554,819	55,364,197	0.80
16	43,276,147	10,413,426	31,889,399	973,322	39,821,106	3,455,041	55,811,969	0.78
17	42,128,189	9,700,510	31,487,725	939,954	38,763,641	3,364,548	56,221,568	0.75
18	39,901,576	9,025,146	29,993,652	882,778	36,823,021	3,078,555	56,613,999	0.70
19	37,811,248	8,422,099	28,554,249	834,900	34,877,964	2,933,284	56,996,515	0.66

新聞協会経営業務部「日刊紙の都道府県別発行部数と普及度」(毎年10月)より
発行部数は朝夕刊セットを1部として計算。セット紙を朝・夕刊別に数えた場合、2019年は46,233,347部
19年の対象は116紙。1世帯あたり部数は「住民基本台帳」による世帯数をもとに算出
世帯数は13年までは3月31日現在、14年から1月1日現在の数字

▶ 発行形態（2009年／2019年比較）

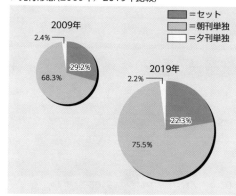

凡例：
- ＝セット
- ＝朝刊単独
- ＝夕刊単独

2009年
2.4%
68.3%
29.2%

2019年
2.2%
75.5%
22.3%

▶ 一般紙、スポーツ紙の割合（2009年／2019年比較）

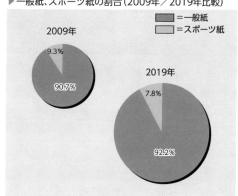

凡例：
- ＝一般紙
- ＝スポーツ紙

2009年
9.3%
90.7%

2019年
7.8%
92.2%

▶ 新聞の戸別配達率（2009年／2019年比較）

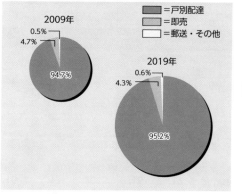

凡例：
- ＝戸別配達
- ＝即売
- ＝郵送・その他

2009年
0.5%
4.7%
94.7%

2019年
0.6%
4.3%
95.2%

四捨五入のため、構成比率の合計は100.0にならない場合がある

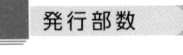 発行部数

各国日刊紙の発行部数、発行紙数、成人千人当たり部数

国名	発行部数（単位：千部）			発行紙数			成人千人当たり部数
	2015	'16	'17	2015	'16	'17	
北米							
カナダ	3,859	—	—	90	85	—	—
南米							
アルゼンチン	926	934	870	35	35	28	26.2
ブラジル	7,633	7,170	5,667	—	—		34.6
チリ	—	—	—	43		—	—
コロンビア	—	—	—	51	50	49	
アジア							
インド	296,303	371,458	—	7,871	8,905	—	—
イスラエル	—	—	—	6	6	5	—

国名	発行部数（単位：千部）			発行紙数			成人千人当たり部数
	2015	'16	'17	2015	'16	'17	
マレーシア	2,858	—	—	24	—	—	
シンガポール	786	724	673	—	8	7	141.1
スリランカ	—	40	45	4	5	5	2.8
トルコ	4,580	—	—	—	—	—	
オセアニア							
オーストラリア	1,879	—	—	47	—	—	
ニュージーランド	482	438	—	20	20	—	
ヨーロッパ							
オーストリア	1,820	1,804	—	13	13	12	—
ベルギー	—	—	1,139	—	—	14	120.8
	258	191		13			54.3

	2015	'16	'17	2015	'16	'17	当たり部数
チェコ	816	763	722	79	79	78	80.6
デンマーク	—	—	—	30	30	30	—
エストニア	163	169	159	10	10	10	144.5
フィンランド	1,193	1,130	1,132	45	40	40	245.7
フランス	6,163	5,964	5,816	84	84	82	105.8
ドイツ	15,786	15,074	14,484	343	332	327	201.5
ハンガリー	792	826	765	30	29	29	91.3
アイルランド	460	433	—	9	9	—	—
イタリア	2,988	2,701	2,427	103	102		46.3
ラトビア	—	—	—	12	12	11	—
リトアニア	160	155	141	—	12	11	58.5

	2015	'16	'17	2015	'16	'17	当たり部数
オランダ	2,732	2,639	2,496	28	28	27	174.3
ノルウェー	1,453	1,368	—	72	71	—	—
ポーランド	1,870	1,694	1,496	34	35	35	46.2
ポルトガル	37	45	—	13	13	—	—
ルーマニア	—	396	260	—	30	21	15.7
セルビア	—	—	—		10	10	—
スペイン	2,145	1,965	1,795	107	107	107	45.2
スウェーデン	1,524	1,445	1,403	81	80	78	169.0
ウクライナ	—	—	—	—	—	24	—
イギリス	8,626	8,195	7,847	104	100	99	144.4

世界ニュース発行者協会（WAN-IFRA）の「World Press Trends」による有料日刊紙の発行部数、紙数、普及度（成人千人当たり部数）
調査時点は国によって異なる場合がある

総広告費と媒体別広告費

（単位：億円、％）

| | 総広告費 | | 新聞 | | 雑誌 | | ラジオ | | テレビメディア | | | | インターネット広告 | | プロモーションメディア広告 | |
| | | | | | | | | | 地上波テレビ | | 衛星メディア関連 | | | | | |
	広告費	前年比	広告費	前年比	広告費	前年比	広告費	前年比	広告費	前年比	広告費	前年比	広告費	前年比	広告費	前年比
2010年	58,427	98.7	6,396	94.9	2,733	90.1	1,299	94.8	17,321	101.1	784	110.6	7,747	109.6	22,147	95.6
11	57,096	97.7	5,990	93.7	2,542	93.0	1,247	96.0	17,237	99.5	891	113.6	8,062	104.1	21,127	95.4
12	58,913	103.2	6,242	104.2	2,551	100.4	1,246	99.9	17,757	103.0	1,013	113.7	8,680	107.7	21,424	101.4
13	59,762	101.4	6,170	98.8	2,499	98.0	1,243	99.8	17,913	100.9	1,110	109.6	9,381	108.1	21,446	100.1
14	61,522	102.9	6,057	98.2	2,500	100.0	1,272	102.3	18,347	102.4	1,217	109.6	10,519	112.1	21,610	100.8
15	61,710	100.3	5,679	93.8	2,443	97.7	1,254	98.6	18,088	98.6	1,235	101.5	11,594	110.2	21,417	99.1
16	62,880	101.9	5,431	95.6	2,223	91.0	1,285	102.5	18,374	101.6	1,283	103.9	13,100	113.0	21,184	98.9
17	63,907	101.6	5,147	94.8	2,023	91.0	1,290	100.4	18,178	98.9	1,300	101.3	15,094	115.2	20,875	98.5
18	65,300	102.2	4,784	92.9	1,841	91.0	1,278	99.1	17,848	98.2	1,275	98.1	17,589	116.5	20,685	99.1
19	69,381	106.2	4,547	95.0	1,675	91.0	1,260	98.6	17,345	97.2	1,267	99.4	21,048	119.7	22,239	107.5

電通「2019年日本の広告費」より

媒体別広告費の構成比

（単位：％）

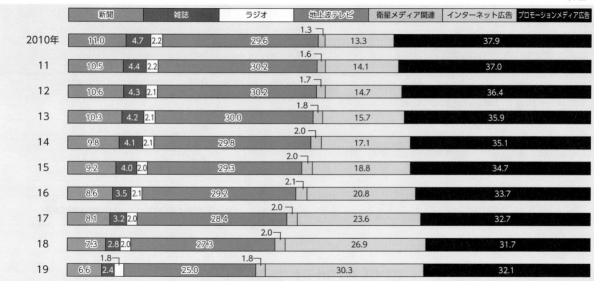

凡例：新聞　雑誌　ラジオ　地上波テレビ　衛星メディア関連　インターネット広告　プロモーションメディア広告

年	新聞	雑誌	ラジオ	地上波テレビ	衛星メディア関連	インターネット広告	プロモーションメディア広告
2010年	11.0	4.7	2.2	29.6	1.3	13.3	37.9
11	10.5	4.4	2.2	30.2	1.6	14.1	37.0
12	10.6	4.3	2.1	30.2	1.7	14.7	36.4
13	10.3	4.2	2.1	30.0	1.8	15.7	35.9
14	9.8	4.1	2.1	29.8	2.0	17.1	35.1
15	9.2	4.0	2.0	29.3	2.0	18.8	34.7
16	8.6	3.5	2.1	29.2	2.1	20.8	33.7
17	8.1	3.2	2.0	28.4	2.0	23.6	32.7
18	7.3	2.8	2.0	27.3	2.0	26.9	31.7
19	6.6	2.4	1.8	25.0	1.8	30.3	32.1

電通「2019年日本の広告費」より

広告費と新聞広告量

	新聞総広告量〔段〕	広告量の前年比（%）	新聞広告費（億円）	新聞広告費の前年比（%）	総広告費（億円）	名目国内総生産〔GDP〕（億円）
2010年	5,167,450	99.7	6,396	94.9	58,427	5,003,539
11	5,010,809	97.0	5,990	93.7	57,096	4,914,085
12	5,282,957	105.4	6,242	104.2	58,913	4,949,572
13	5,336,059	101.0	6,170	98.8	59,762	5,031,756
14	5,345,303	100.2	6,057	98.2	61,522	5,138,760
15	5,228,995	98.0	5,679	93.8	61,710	5,313,198
16	5,134,839	98.2	5,431	95.6	62,880	5,355,372
17	5,047,941	98.0	5,147	94.8	63,907	5,458,974
18	4,866,917	96.4	4,784	92.9	65,300	5,471,255
19	4,702,027	96.6	4,547	95.0	69,381	5,544,629

電通「2019年日本の広告費」、「電通広告統計」をもとに作成
広告量の前年比は当該年と前年の共通媒体のみで再集計して算出
GDPは内閣府「国民経済計算確報」および「四半期別GDP速報」による。いずれも暦年の数字

12

業種別・媒体別広告費

(単位：千万円、%)

業種 \ 媒体	新聞 広告費	構成比	前年比	地上波テレビ 広告費	構成比	前年比	雑誌 広告費	構成比	前年比	ラジオ 広告費	構成比	前年比	4媒体合計 広告費	構成比	前年比
1.エネルギー・素材・機械	481	1.1	93.6	3,369	1.9	112.6	117	0.7	97.5	261	2.1	91.9	4,228	1.7	108.1
2.食品	5,312	11.7	100.0	18,003	10.4	100.6	970	5.8	93.5	1,220	9.7	101.7	25,505	10.3	100.2
3.飲料・嗜好品	1,385	3.0	77.5	14,322	8.3	99.6	617	3.7	96.3	447	3.5	68.7	16,771	6.7	96.1
4.薬品・医療用品	1,787	3.9	103.4	11,269	6.5	96.6	363	2.2	83.4	992	7.9	99.5	14,411	5.8	97.2
5.化粧品・トイレタリー	2,235	4.9	84.2	19,218	11.1	92.4	2,238	13.4	89.3	338	2.7	104.6	24,029	9.7	91.4
6.ファッション・アクセサリー	724	1.6	70.3	2,692	1.5	98.7	4,063	24.3	89.5	57	0.4	103.6	7,536	3.0	90.2
7.精密機器・事務用品	348	0.8	90.9	1,463	0.8	79.6	811	4.8	96.0	69	0.5	77.5	2,691	1.1	85.3
8.家電・AV機器	192	0.4	83.8	3,838	2.2	96.4	391	2.3	84.8	79	0.6	70.5	4,500	1.8	94.1
9.自動車・関連品	753	1.7	95.1	11,547	6.7	100.7	518	3.1	89.5	1,100	8.7	93.1	13,918	5.6	99.2
10.家庭用品	816	1.8	95.9	4,676	2.7	96.5	465	2.8	95.5	201	1.6	94.4	6,158	2.5	96.2
11.趣味・スポーツ用品	856	1.9	103.3	4,616	2.7	88.8	956	5.7	91.1	252	2.0	92.3	6,680	2.7	90.9
12.不動産・住宅設備	2,006	4.4	93.1	8,068	4.6	93.0	604	3.6	93.2	638	5.1	92.2	11,316	4.6	93.0
13.出版	4,154	9.1	95.5	1,693	1.0	97.4	139	0.8	86.9	540	4.3	97.1	6,526	2.6	95.9
14.情報・通信	2,509	5.5	96.0	22,379	12.9	92.3	655	3.9	93.2	1,020	8.1	110.7	26,563	10.7	93.2
15.流通・小売業	6,297	13.9	96.0	8,211	4.7	103.6	740	4.4	89.9	721	5.7	84.9	15,969	6.4	98.8
16.金融・保険	1,413	3.1	86.6	12,660	7.3	101.0	371	2.2	96.4	639	5.1	97.0	15,083	6.1	99.2
17.交通・レジャー	7,588	16.7	99.4	9,118	5.3	98.4	1,402	8.4	87.1	1,106	8.8	115.6	19,214	7.7	98.7
18.外食・各種サービス	1,463	3.2	96.5	10,262	5.9	98.4	392	2.3	93.6	1,699	13.5	102.7	13,816	5.6	98.5
19.官公庁・団体	1,310	2.9	119.0	1,575	0.9	161.5	280	1.7	102.9	740	5.9	112.5	3,905	1.6	129.9
20.教育・医療サービス・宗教	1,734	3.8	90.9	3,760	2.2	94.2	601	3.6	97.2	406	3.2	98.5	6,501	2.6	93.8
21.案内・その他	2,107	4.6	93.0	711	0.4	80.1	57	0.3	82.6	75	0.6	174.4	2,950	1.2	90.4
合計	45,470	100.0	95.0	173,450	100.0	97.2	16,750	100.0	91.0	12,600	100.0	98.6	248,270	100.0	97.2

電通「2019年日本の広告費」より
4媒体＝新聞＋地上波テレビ＋ラジオ＋雑誌
衛星メディア関連は除く

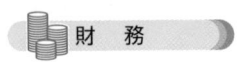 財　務

新聞社の総売上高と構成比

▶新聞社総売上高と構成比の推移 （単位：億円、%）

	総売上高		販売収入		広告収入		その他収入	
		前年比		前年比		前年比		前年比
2008年度	21,387	−4.9	12,317	−0.9	5,674	−14.6	3,396	−0.6
09	20,024	−6.4	12,087	−1.9	4,785	−15.7	3,152	−7.2
10	19,375	−3.2	11,841	−2.0	4,505	−5.9	3,029	−3.9
11	19,534	0.8	11,642	−1.7	4,405	−2.2	3,487	15.1
12	19,156	−1.9	11,519	−1.1	4,458	1.2	3,178	−8.9
13	19,000	−0.8	11,309	−1.8	4,417	−0.9	3,274	3.0
14	18,261	−3.9	10,762	−4.8	4,186	−5.2	3,313	1.2
15	17,906	−1.9	10,466	−2.8	3,984	−4.8	3,455	4.3
16	17,678	−1.3	10,209	−2.5	3,801	−4.6	3,668	6.2
17	17,119	−3.2	9,897	−3.1	3,549	−6.6	3,673	0.1
18	16,619	−2.9	9,502	−4.0	3,314	−6.6	3,803	3.5

新聞協会経営業務部「新聞社総売上高推計調査」より

▶新聞社総売上高の推移 （単位：億円）

凡例：販売収入　広告収入　その他収入

年度	総売上高
2008年度	21,387
09	20,024
10	19,375
11	19,534
12	19,156
13	19,000
14	18,261
15	17,906
16	17,678
17	17,119
18	16,619

横軸目盛：0　5,000　10,000　15,000　20,000

▶収入構成比の変化

凡例:
- ■ =販売収入
- ■ =広告収入
- □ =その他収入

2008年度
- 15.9%
- 26.5%
- 57.6%

2018年度
- 22.9%
- 19.9%
- 57.2%

▶新聞社総売上高と全産業売上高などの推移

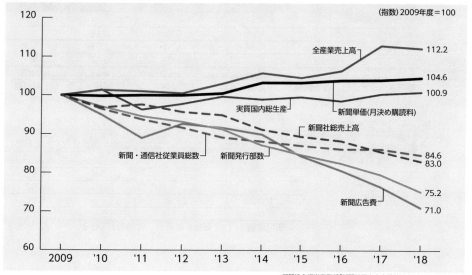

(指数)2009年度=100

- 全産業売上高 112.2
- 104.6
- 実質国内総生産
- 新聞単価(月決め購読料) 100.9
- 新聞・通信社従業員総数
- 新聞発行部数
- 新聞社総売上高 84.6
- 83.0
- 新聞広告費 75.2
- 71.0

新聞協会経営業務部「新聞社総売上高推計調査」(2018年度)より

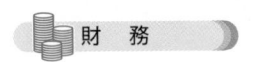財　務

新聞社の収入・費用構成

▶発行規模別収入構成（総収入＝100％）

	販売収入	広告収入	その他営業収入	営業外収益	特別利益
約80万部以上社	56.4（％）	17.9	23.8	1.2	0.7
約40万部以上社	60.3	24.9	12.2	2.3	0.4
約20万部以上社	58.0	25.7	13.4	1.7	1.1
20万部未満社	52.8	24.6	21.1	1.2	0.4

調査社平均	販売収入 56.8（％）	広告収入 19.8	その他営業収入 21.3

営業外収益 1.4
特別利益 0.7

▶発行規模別費用構成（総費用＝100％）

	用紙費	資材費	人件費	経費	営業外費用	特別損失	法人税等充当額
約80万部以上社	10.7（％）	0.4	23.4	63.1	0.3	1.2	1.0
約40万部以上社	15.0	2.4	29.9	50.1	0.7	0.6	1.3
約20万部以上社	14.6	2.7	33.7	46.1	0.5	0.7	1.7
20万部未満社	14.2	2.3	31.9	49.6	0.4	0.6	—

調査社平均	用紙費 11.7（％）	人件費 25.5	経費 59.4	営業外費用 0.3

特別損失 1.0
資材費 1.0
法人税等充当額 1.1

新聞協会経営業務部「新聞事業の経営動向」（2018年度）より
四捨五入のため、構成比率の合計は100.0にならない場合がある

新聞・通信社の従業員総数

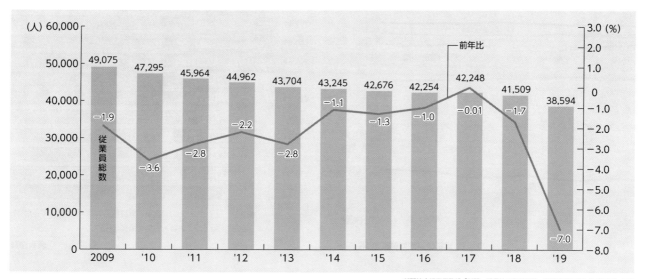

新聞協会経営業務部「新聞・通信社の従業員数・労務構成調査」(毎年4月) より
新聞協会加盟新聞・通信社の従業員総数。年によって社数は異なる。2019年は97社
18年までは有期契約の嘱託および定年後再雇用者を従業員に含めていたが、19年から除外している

部門別従業員数と構成比

▶部門別従業員数の推移

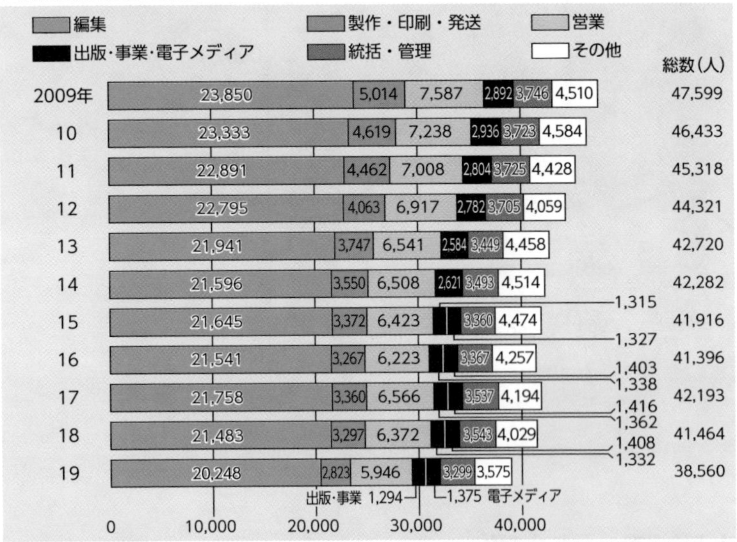

凡例：
- 編集
- 製作・印刷・発送
- 営業
- 出版・事業・電子メディア
- 統括・管理
- その他

年	編集	製作・印刷・発送	営業	出版・事業・電子メディア	統括・管理	その他	総数（人）
2009年	23,850	5,014	7,587	2,892	3,746	4,510	47,599
10	23,333	4,619	7,238	2,936	3,723	4,584	46,433
11	22,891	4,462	7,008	2,804	3,725	4,428	45,318
12	22,795	4,063	6,917	2,782	3,705	4,059	44,321
13	21,941	3,747	6,541	2,584	3,449	4,458	42,720
14	21,596	3,550	6,508	2,621	3,493	4,514	42,282
15	21,645	3,372	6,423	1,315	3,360	4,474	41,916
16	21,541	3,267	6,223	1,327	3,367	4,257	41,396
17	21,758	3,360	6,566	1,403	3,537	4,194	42,193
18	21,483	3,297	6,372	1,338	3,543	4,029	41,464
19	20,248	2,823	5,946	1,416 / 1,362	3,299	3,575	38,560

出版・事業 1,294　　電子メディア 1,375
1,408　1,332

新聞協会経営業務部「新聞・通信社の従業員数・労務構成調査」（毎年4月）より
年によって社数は異なる。2019年は調査回答96社

▶部門別従業員構成比の推移

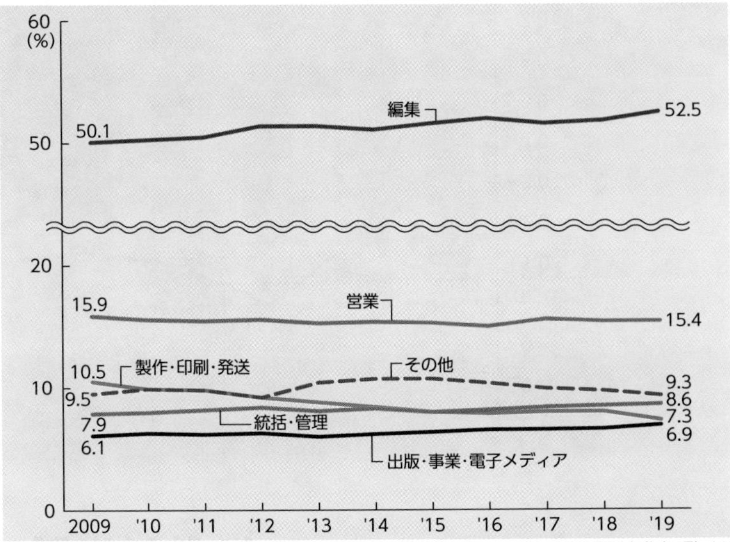

部門	2009	2019
編集	50.1	52.5
営業	15.9	15.4
製作・印刷・発送	10.5	7.3
その他	9.5	9.3
統括・管理	7.9	8.6
出版・事業・電子メディア	6.1	6.9

新聞協会経営業務部「新聞・通信社の従業員数・労務構成調査」（毎年4月）より
年によって社数は異なる。2019年は調査回答96社

年齢別従業員数と構成比

▶年齢別従業員数

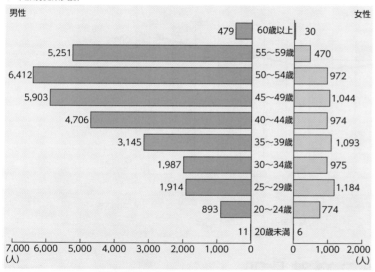

男性 / 女性

年齢	男性	女性
60歳以上	479	30
55〜59歳	5,251	470
50〜54歳	6,412	972
45〜49歳	5,903	1,044
40〜44歳	4,706	974
35〜39歳	3,145	1,093
30〜34歳	1,987	975
25〜29歳	1,914	1,184
20〜24歳	893	774
20歳未満	11	6

7,000 6,000 5,000 4,000 3,000 2,000 1,000 0（人）　0 1,000 2,000（人）

新聞協会経営業務部「新聞・通信社の従業員数・労務構成調査」（2019年4月）より。回答92社

▶世代別従業員構成比率の推移

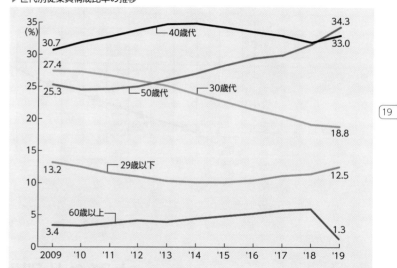

- 40歳代：30.7 → 34.3
- 50歳代：27.4 → 33.0
- 30歳代：25.3 → 18.8
- 29歳以下：13.2 → 12.5
- 60歳以上：3.4 → 1.3

2009 '10 '11 '12 '13 '14 '15 '16 '17 '18 '19

新聞協会経営業務部「新聞・通信社の従業員数・労務構成調査」（毎年4月）より。
年によって社数は異なる。2019年は調査回答92社

記者総数と女性記者の比率

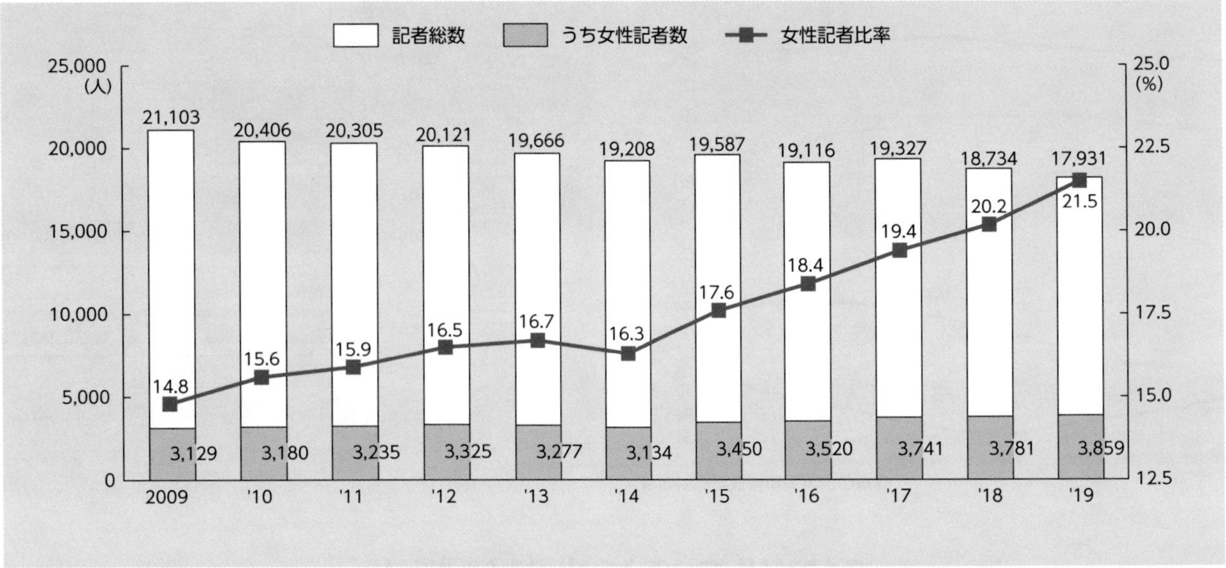

凡例：
- 記者総数
- うち女性記者数
- 女性記者比率

年	記者総数（人）	うち女性記者数	女性記者比率（%）
2009	21,103	3,129	14.8
'10	20,406	3,180	15.6
'11	20,305	3,235	15.9
'12	20,121	3,325	16.5
'13	19,666	3,277	16.7
'14	19,208	3,134	16.3
'15	19,587	3,450	17.6
'16	19,116	3,520	18.4
'17	19,327	3,741	19.4
'18	18,734	3,781	20.2
'19	17,931	3,859	21.5

新聞協会経営業務部「新聞・通信社の従業員数・労務構成調査」(毎年4月)より。調査回答社数は年によって異なる。2019年は96社

日本メディアの海外特派員

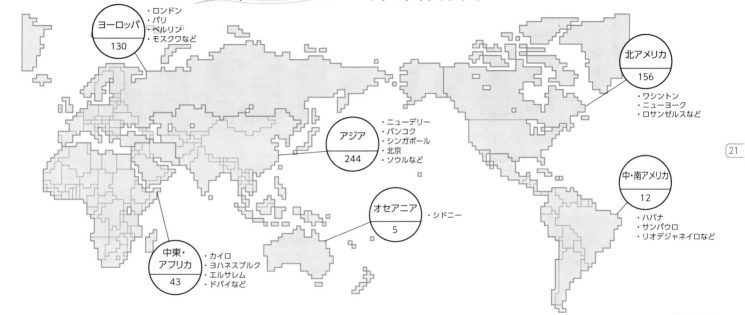

ヨーロッパ
130
・ロンドン
・パリ
・ベルリン
・モスクワなど

北アメリカ
156
・ワシントン
・ニューヨーク
・ロサンゼルスなど

アジア
244
・ニューデリー
・バンコク
・シンガポール
・北京
・ソウルなど

中・南アメリカ
12
・ハバナ
・サンパウロ
・リオデジャネイロなど

オセアニア
5
・シドニー

中東・アフリカ
43
・カイロ
・ヨハネスブルク
・エルサレム
・ドバイなど

数字は延べ人数
新聞協会調べ(2019年7月現在)

新聞販売所数と従業員数

雇用

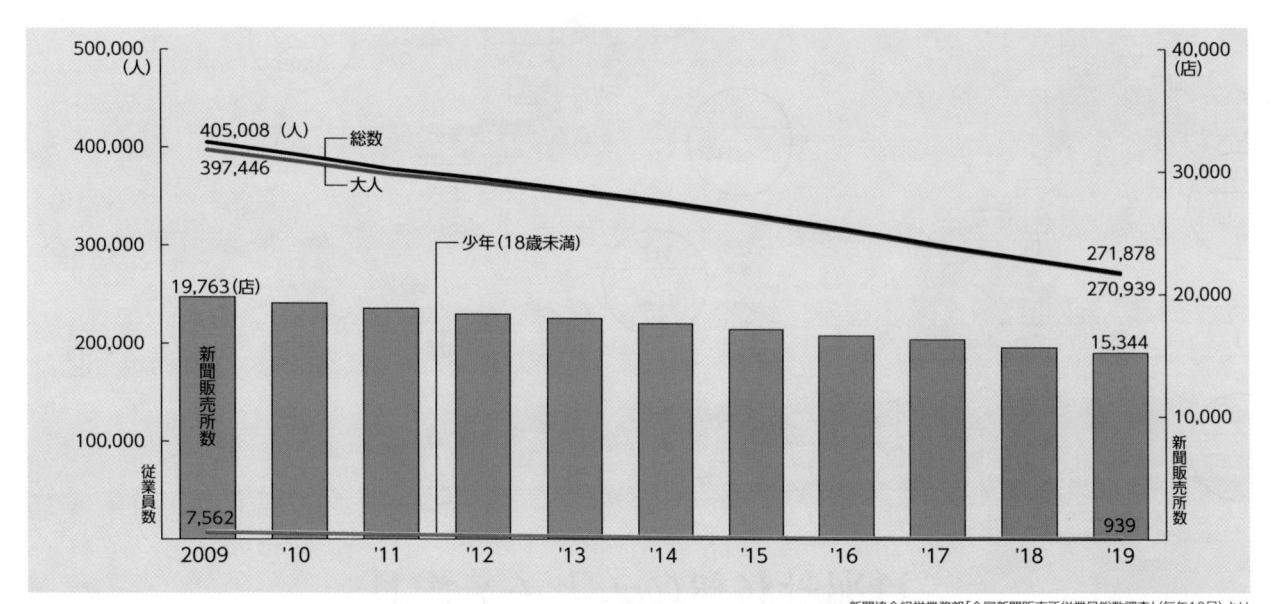

新聞協会経営業務部「全国新聞販売所従業員総数調査」(毎年10月)より

新聞販売所従業員の構成

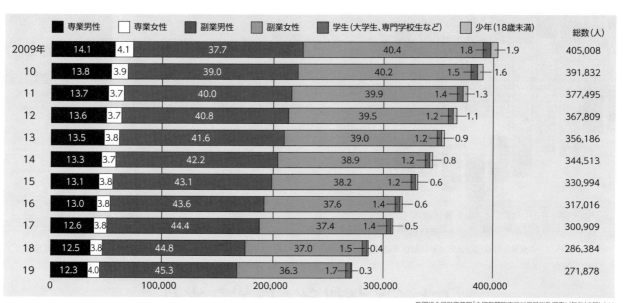

	専業男性	専業女性	副業男性	副業女性	学生（大学生、専門学校生など）	少年（18歳未満）	総数（人）
2009年	14.1	4.1	37.7	40.4	1.8	1.9	405,008
10	13.8	3.9	39.0	40.2	1.5	1.6	391,832
11	13.7	3.7	40.0	39.9	1.4	1.3	377,495
12	13.6	3.7	40.8	39.5	1.2	1.1	367,809
13	13.5	3.8	41.6	39.0	1.2	0.9	356,186
14	13.3	3.7	42.2	38.9	1.2	0.8	344,513
15	13.1	3.8	43.1	38.2	1.2	0.6	330,994
16	13.0	3.8	43.6	37.6	1.4	0.6	317,016
17	12.6	3.8	44.4	37.4	1.4	0.5	300,909
18	12.5	3.8	44.8	37.0	1.5	0.4	286,384
19	12.3	4.0	45.3	36.3	1.7	0.3	271,878

0　　　　100,000　　　　200,000　　　　300,000　　　　400,000

新聞協会経営業務部「全国新聞販売所従業員総数調査」（毎年10月）より
四捨五入のため、構成比率の合計は100.0にならない場合がある

日本で活動する海外メディア

▶日本に拠点を置く外国報道機関数および所属記者数

	報道機関数	所属記者数
アジア (10)	56	116
インド	1	1
インドネシア	1	1
シンガポール	4	4
バングラデシュ	2	2
ベトナム	3	8
韓国	15	35
中国(香港・マカオを除く)	17	49
中国(香港)	5	8
中国(マカオ)	1	1
台湾	7	7
北米 (1)	24	170
アメリカ合衆国	24	170
中南米 (2)	3	4
ブラジル	2	3
ペルー	1	1
欧州 (12)	54	109
アゼルバイジャン	2	3
イギリス	14	23
イタリア	3	3

	報道機関数	所属記者数
オランダ	1	1
カザフスタン	1	2
スイス	2	2
スペイン	1	4
デンマーク	1	1
ドイツ	13	27
フランス	11	33
ベルギー	1	1
ロシア	4	9
大洋州 (1)	1	2
オーストラリア	1	2
中東 (4)	4	7
イラン	1	1
カタール	1	4
クウェート	1	1
トルコ	1	1
総計	142	408

2020年1月31日現在
外務省発行の外国記者登録証保持者を中心に、フォーリン・
プレスセンターが独自に集計
在日外国報道関係者の総数を示すものではない

▶日本で活動する海外メディアの記者数の推移

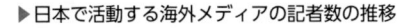
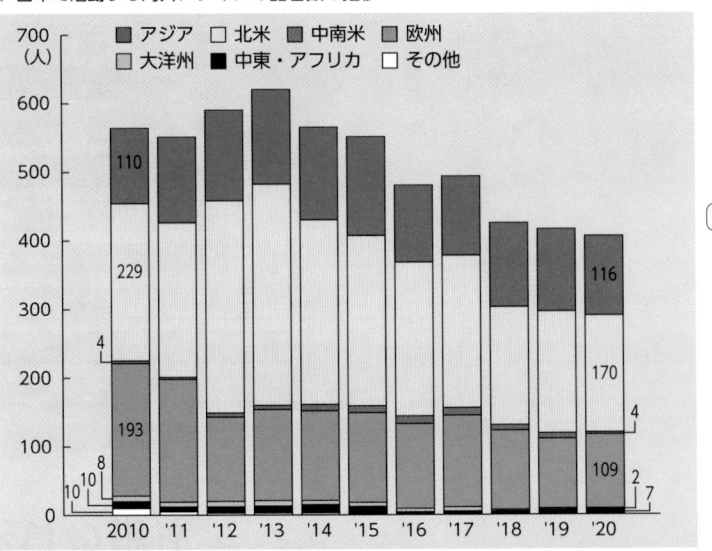

その他は、北・南米の日本語新聞などに日本語話者向けのメディア

NIE実践指定校

Newspaper in Education

NIE（エヌ・アイ・イー）は、Newspaper In Education（教育に新聞を）の略。学校や家庭、地域などで新聞を生きた学習材とする活動です。1930年代に米国で始まり、日本では85年に提唱されました。NIE普及のため、学校・教育委員会・新聞社で構成する推進組織が都道府県ごとに置かれ、さまざまな活動を展開しています。

新聞協会は毎年度、実践指定校を認定して新聞提供を行っています。96年度からこれまでに、延べ約1万1千の学校でNIE活動が行われています。

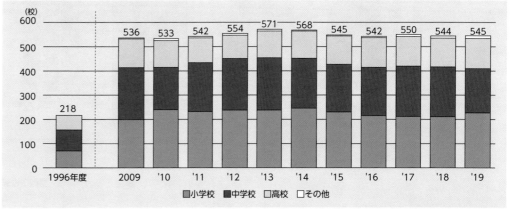

小学校には「小中連携」を、中学校には「中高連携」を含む

新聞を読む頻度と学力

▶新聞閲読習慣と全国学力テスト平均正答率の関係

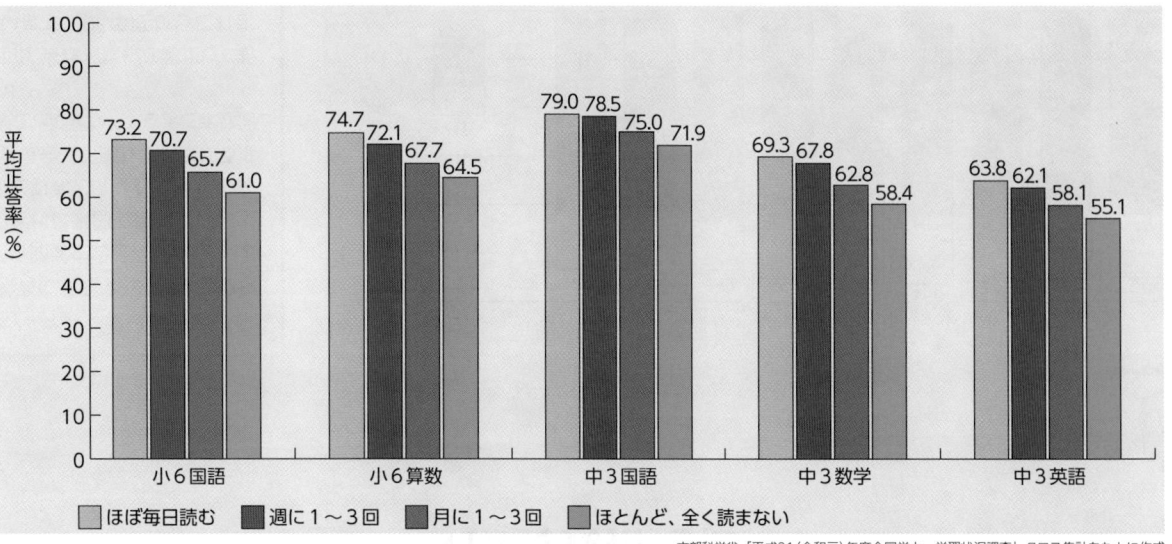

平均正答率（％）

	小6国語	小6算数	中3国語	中3数学	中3英語
ほぼ毎日読む	73.2	74.7	79.0	69.3	63.8
週に1〜3回	70.7	72.1	78.5	67.8	62.1
月に1〜3回	65.7	67.7	75.0	62.8	58.1
ほとんど、全く読まない	61.0	64.5	71.9	58.4	55.1

■ ほぼ毎日読む　■ 週に1〜3回　■ 月に1〜3回　■ ほとんど、全く読まない

文部科学省「平成31（令和元）年度全国学力・学習状況調査」クロス集計をもとに作成

各国・地域の新聞閲読と読解力

▶新聞閲読とニュースへの関心別の読解力平均得点

国・地域		新聞閲読		ニュースへの関心		
		読む	読まない	まったく関心がない	紙で読むことのほうが多い	紙でもデジタル機器でも同じくらい読む
OECD	日本	531	498	445	504	524
	オーストラリア	514	504	471	479	524
	カナダ	537	524	-	-	-
	エストニア	542	517	492	500	540
	フィンランド	541	515	482	525	549
	フランス	504	496	460	468	511
	ドイツ	526	504	463	499	543
	アイルランド	519	519	476	491	540
	イタリア	484	478	430	461	485
	韓国	542	507	460	512	538

国・地域		新聞閲読		ニュースへの関心		
		読む	読まない	まったく関心がない	紙で読むことのほうが多い	紙でもデジタル機器でも同じくらい読む
OECD	オランダ	536	495	-	-	-
	ニュージーランド	509	509	473	483	528
	イギリス	519	505	476	480	535
	アメリカ	504	509	484	454	508
	平均	497	489	457	467	508

国・地域		新聞閲読		ニュースへの関心		
非OECD	北京・上海・江蘇・浙江	571	550	-	-	-
	香港	540	516	473	531	553
	台湾	521	498	454	502	542
	シンガポール	568	539	502	554	572

経済協力開発機構（OECD）の「生徒の学習到達度調査（PISA）2018年」によると、ほとんどの国・地域で、新聞を閲読する生徒は閲読しない生徒よりも読解力の平均得点がおおむね高いことが分かります。

さまざまなテキストや図・グラフが載っている新聞に親しむことは、生徒の読む力に好影響を与えています。

国立教育政策研究所編「OECD生徒の学習到達度調査（PISA）2018年調査国際結果報告書」をもとに作成
「読む」は「週に数回」「月に数回」、「読まない」は「月に１回ぐらい」「年に数回」「まったく、またはほとんどない」と回答した生徒

新聞・通信各社のデジタルサービス提供状況

▶B to Cサービスの提供状況（81社回答）

電子新聞および有料デジタルサービス ※1		33 (社)
本紙購読者向けデジタルサービス ※2		21
アプリ	スマートフォン	39
	タブレット	25
ウェブ	スマートフォン	75
	PC	79
	従来型携帯電話	45
メール		45
動画		51
音声		12
紙面イメージ（電子号外含む）		49
電子書籍		11
SNS		55
デジタルサービスコンテンツの他媒体展開	本紙紙面	25
	本紙以外の紙媒体	10
	フリーペーパー	3
	テレビ	3
	ラジオ	3

※1 「本紙購読者向け」以外のサービス
※2 配達区域外に限り非購読者にも提供するサービスを含む

▶デジタルサービスの収益モデル　（複数回答）

有料課金	160 (件)
広告	143
データ販売	17
イベント	15
物販	14
マーケティング支援	10
教育	4

▶会員登録のあるサービス

有料会員のみ	120 (件)
無料会員のみ	41
両方	43
計	204

新聞協会メディア開発委員会「デジタルメディアを活用した新聞・通信社の情報サービス現況調査」（2019年4月現在）をもとに作成
　調査は「自社のデジタル戦略において必要なサービスを各社で判断し、回答してもらう」形で実施したことから、各社の全サービスを網羅しているわけではない。回答のあったB to Cサービスは、全286件

デジタル情報の内容とプラットフォームへの提供状況

▶BtoCサービスで提供する情報（複数回答）

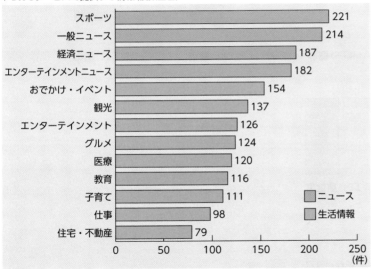

項目	件数
スポーツ	221
一般ニュース	214
経済ニュース	187
エンターテインメントニュース	182
おでかけ・イベント	154
観光	137
エンターテインメント	126
グルメ	124
医療	120
教育	116
子育て	111
仕事	98
住宅・不動産	79

凡例：ニュース／生活情報

（件）

新聞協会メディア開発委員会「デジタルメディアを活用した新聞・通信社の情報サービス現況調査」（2019年4月現在）より

▶外部へのコンテンツ配信状況（複数回答）

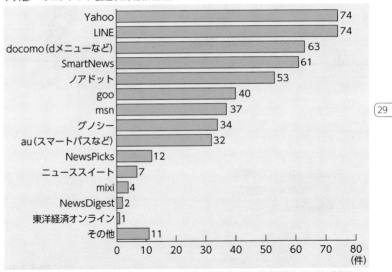

項目	件数
Yahoo	74
LINE	74
docomo（dメニューなど）	63
SmartNews	61
ノアドット	53
goo	40
msn	37
グノシー	34
au（スマートパスなど）	32
NewsPicks	12
ニューススイート	7
mixi	4
NewsDigest	2
東洋経済オンライン	1
その他	11

（件）

新聞協会メディア開発委員会「デジタルメディアを活用した新聞・通信社の情報サービス現況調査」（2019年4月現在）より

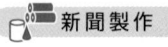
新聞の印刷拠点

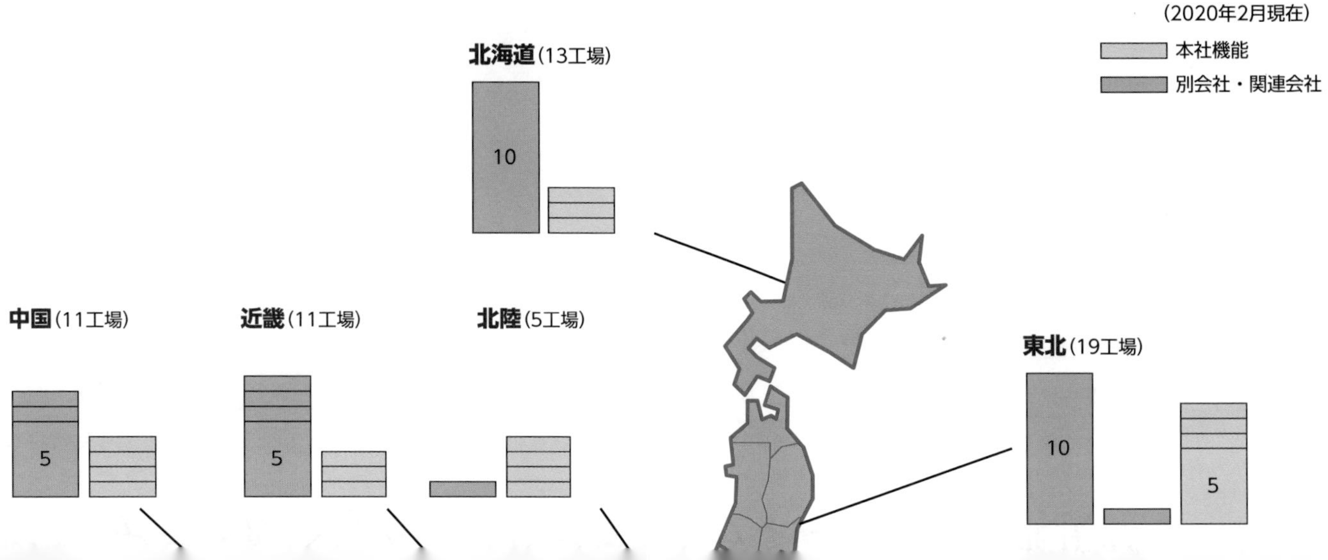

(2020年2月現在)

本社機能
別会社・関連会社

北海道(13工場)

10

中国(11工場)

5

近畿(11工場)

5

北陸(5工場)

東北(19工場)

10　　5

30

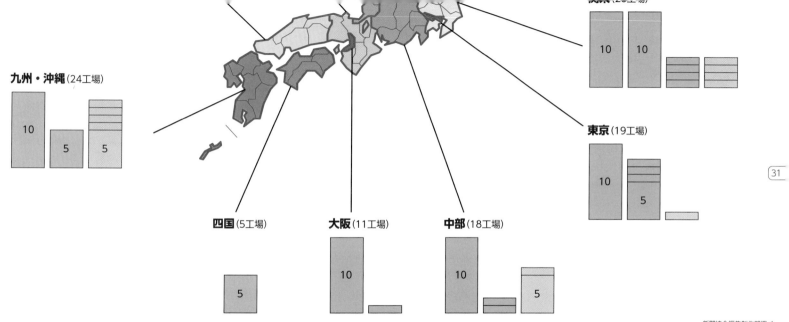

九州・沖縄 (24工場)

10 5 5

四国 (5工場)

5

大阪 (11工場)

10

中部 (18工場)

10 5

東京 (19工場)

10 5

10 10

新聞協会編集制作部調べ

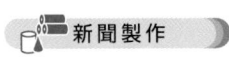

新聞・通信社間の災害・障害発生時援助協定（2社間）

新聞協会会員社間で結んでいる2社間の相互・片務協定
関連会社の協定を含めて図式化した
このほか3社間以上で、相互が43社20件、片務が3社2件締結されている

（2020年2月現在）

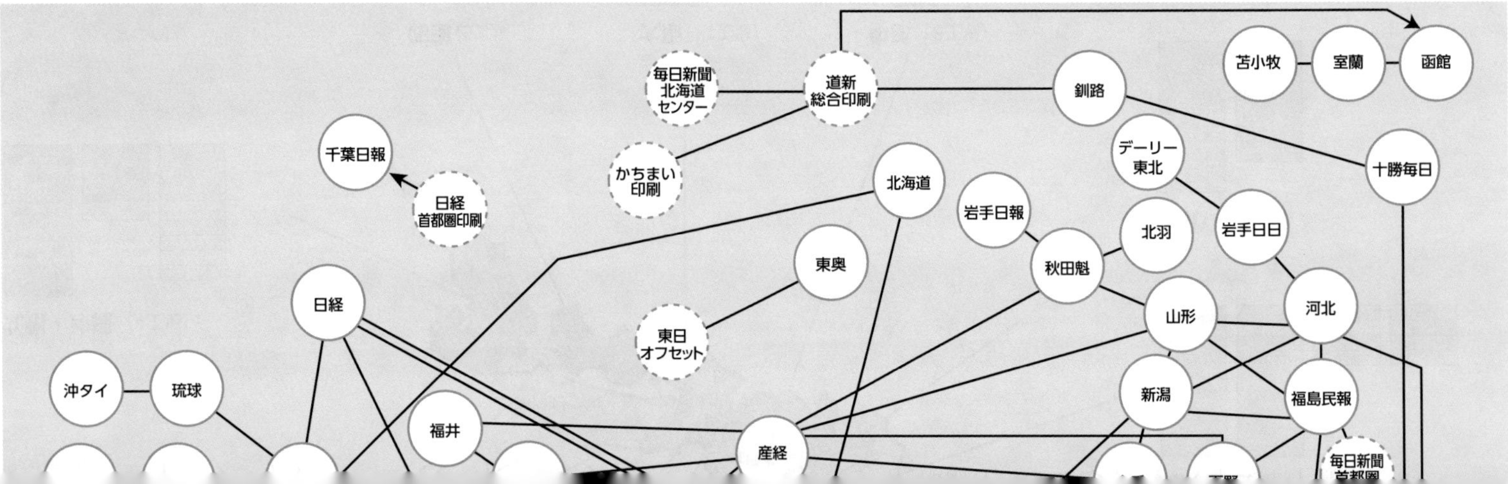

苫小牧　室蘭　函館

毎日新聞北海道センター　道新総合印刷　釧路

千葉日報

日経首都圏印刷

かちまい印刷　北海道　デーリー東北　十勝毎日

東奥　岩手日報　北羽　岩手日日

日経　秋田魁

沖タイ　琉球　東日オフセット　山形　河北

福井　新潟　福島民報

産経　毎日新聞

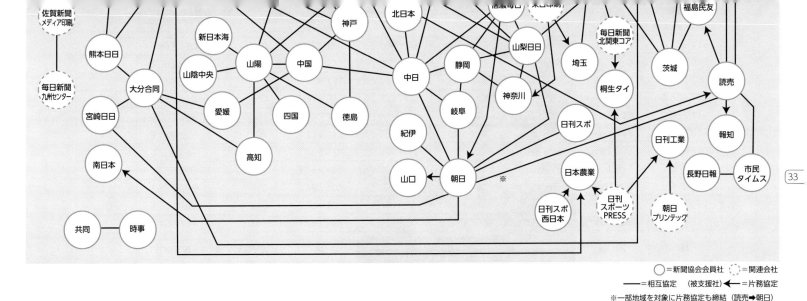

佐賀新聞
メディア印刷

毎日新聞
九州センター

熊本日日

大分合同

宮崎日日

南日本

共同　時事

新日本海

山陰中央

山陽

愛媛

中国

四国

高知

徳島

神戸

北日本

信濃毎日　東日印刷

中日

静岡

山梨日日

毎日新聞
北関東コア

埼玉

神奈川

桐生タイ

福島民友

茨城

読売

報知

岐阜

紀伊

日刊スポ

日刊工業

長野日報

市民
タイムス

山口

朝日

※

日本農業

日刊
スポーツ
PRESS

朝日
プリンテック

日刊スポ
西日本

33

◯＝新聞協会会員社　⦂⦂⦂＝関連会社

──＝相互協定　（被支援社）◀──＝片務協定

※一部地域を対象に片務協定も締結（読売➡朝日）

新聞協会編集制作部調べ

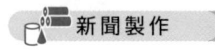

新聞用紙の生産と消費

（単位：トン、重量ベース）

	生産			払い出し				
	国内生産	輸入外紙入荷量	計	新聞社向け			輸　出	計
				国内払い出し	輸入外紙消費量	計		
2009年	3,490,234	1,292	3,491,526	3,411,796	1,292	3,413,088	103,996	3,517,084
10	3,393,897	240	3,394,137	3,354,026	240	3,354,266	50,788	3,405,054
11	3,282,062	40	3,282,102	3,251,158	40	3,251,198	10,960	3,262,158
12	3,298,360	51	3,298,411	3,305,897	51	3,305,948	1,875	3,307,823
13	3,258,555	123	3,258,678	3,246,699	123	3,246,822	2,008	3,248,830
14	3,174,733	184	3,174,917	3,180,380	184	3,180,564	1,084	3,181,648
15	3,022,299	54	3,022,353	3,033,222	54	3,033,276	1,149	3,034,425
16	2,917,510	43	2,917,553	2,925,585	43	2,925,628	592	2,926,220
17	2,778,726	7	2,778,733	2,777,489	7	2,777,496	0	2,777,496
18	2,593,611	10	2,593,621	2,609,038	10	2,609,048	0	2,609,048
19	2,422,120	0	2,422,120	2,408,425	0	2,408,425	0	2,408,425

国内生産＝2016年までは製紙メーカーの海外合弁工場の生産を含む
国内払い出し＝製紙メーカーによる国内向け新聞用紙の出荷高
輸入外紙消費量＝新聞協会加盟社が商社または印刷会社から入手した輸入外紙の使用量

新聞協会経営業務部調べ

国内で生産される新聞用紙の種類

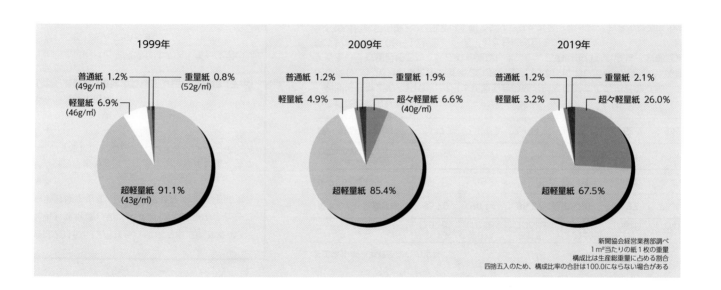

1999年

重量紙 0.8%
(52g/㎡)

普通紙 1.2%
(49g/㎡)

軽量紙 6.9%
(46g/㎡)

超軽量紙 91.1%
(43g/㎡)

2009年

重量紙 1.9%

普通紙 1.2%

超々軽量紙 6.6%
(40g/㎡)

軽量紙 4.9%

超軽量紙 85.4%

2019年

重量紙 2.1%

普通紙 1.2%

超々軽量紙 26.0%

軽量紙 3.2%

超軽量紙 67.5%

新聞協会経営業務部調べ
1㎡当たりの紙1枚の重量
構成比は生産総重量に占める割合
四捨五入のため、構成比率の合計は100.0にならない場合がある

新聞界の第3次自主行動計画の推進

新聞協会は2016年12月から「環境対策に関する第3次自主行動計画」を推進しています。13年を基準年としたエネルギー消費原単位を、30年まで年平均1％削減することが目標です。

エネルギー消費原単位とは、エネルギー使用効率を表す指標で、「省エネ法」にも準拠した考え方です。以下の方法で算出します。

エネルギー消費原単位＝
エネルギー消費量（原油換算・kl）÷延べ床面積（千㎡）

地球温暖化防止に向け、新聞協会はエネルギー使用の効率改善を目指して取り組んでいます。

なお、18年度のエネルギー消費原単位は、13年度比で年平均4.4％減となり、現時点で目標をクリアしています。

▶エネルギー消費原単位の推移

年度	2013 (102社)	2014 (103社)	2015 (106社)	2016 (107社)	2017 (106社)	2018 (104社)
エネルギー消費原単位	**95.70**	**90.14**	**86.37**	**83.58**	**79.97**	**76.41**
年平均削減率		△5.8	△5.0	△4.4	△4.4	△4.4
エネルギー消費量 (原油換算・万kl)	23.38	22.27	21.55	21.37	20.54	19.43
延べ床面積（千㎡）	2,442.7	2,470.2	2,494.7	2,556.7	2,568.2	2,542.2

〜これまでの取り組み〜

新聞協会は2007年10月、「日本新聞協会の環境対策に関する自主行動計画」を策定しました。電力消費に由来するCO_2排出量を10年度において05年度比で5％削減するという数値目標をたて、これを達成しました。この自主行動計画は、京都議定書第1約束期間（08〜12年度）の満了とともに役目を終えました。

13年4月策定の第2次計画では、電力だけでなくガスや重油なども含めたエネルギー消費量（原油換算）を、20年度において05年度より13％以上削減するという新たな数値目標をたてました。これも、15年度までに26.1％の削減に成功し、達成を確認しました。

古紙回収率と回収量

新聞の古紙回収には折り込み広告も含まれるため、回収率は100%を超えています。

▶古紙の国内回収率の推移

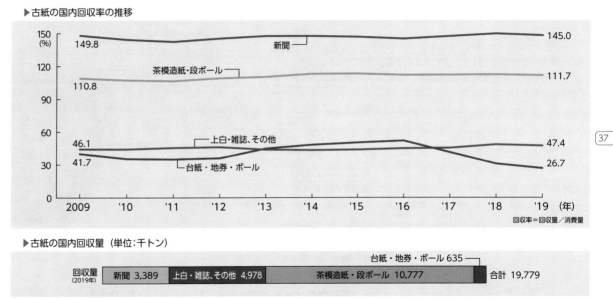

回収率＝回収量／消費量

- 新聞 149.8 → 145.0
- 茶模造紙・段ボール 110.8 → 111.7
- 上白・雑誌、その他 46.1 → 47.4
- 台紙・地券・ボール 41.7 → 26.7

（年）2009 '10 '11 '12 '13 '14 '15 '16 '17 '18 '19

▶古紙の国内回収量（単位：千トン）

回収量(2019年)	新聞 3,389	上白・雑誌、その他 4,978	茶模造紙・段ボール 10,777	台紙・地券・ボール 635	合計 19,779

古紙再生促進センターの試算

新聞オーディエンスの実態

▶新聞オーディエンスの定義

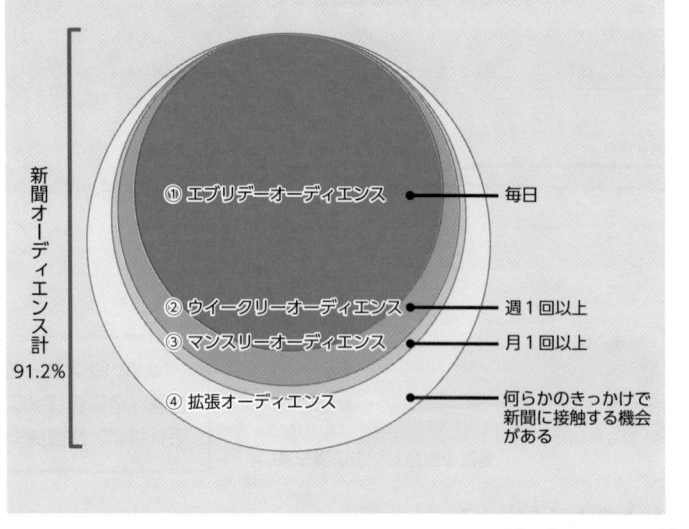

新聞オーディエンス計 91.2%

① エブリデーオーディエンス ── 毎日

② ウイークリーオーディエンス ── 週1回以上

③ マンスリーオーディエンス ── 月1回以上

④ 拡張オーディエンス ── 何らかのきっかけで新聞に接触する機会がある

▶新聞への接触頻度（n＝1,200）

	構成比（%）
新聞オーディエンス	91.2
毎日見る	51.0
週に1回以上見る	16.1
月に1回以上見る	4.9
拡張オーディエンス	19.2
非新聞オーディエンス	8.5
無回答	0.3

　新聞の定期購読者に加えて、購読の有無や頻度を問わずさまざまな目的や状況に応じて新聞を読む人や、ＳＮＳで拡散された新聞社発の情報を入手する人などを含めて「新聞オーディエンス」と定義した。

▶新聞オーディエンスの年代別構成（単位＝％）

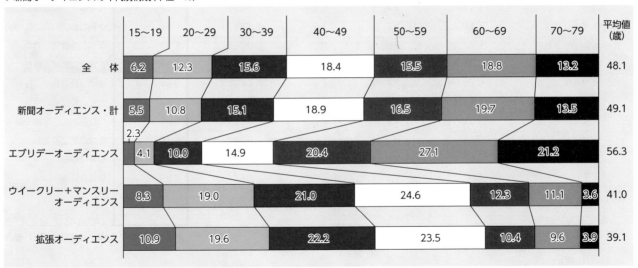

	15〜19	20〜29	30〜39	40〜49	50〜59	60〜69	70〜79	平均値（歳）
全体	6.2	12.3	15.6	18.4	15.5	18.8	13.2	48.1
新聞オーディエンス・計	5.5	10.8	15.1	18.9	16.5	19.7	13.5	49.1
エブリデーオーディエンス	2.3	4.1	10.0	14.9	20.4	27.1	21.2	56.3
ウイークリー＋マンスリーオーディエンス	8.3	19.0	21.0	24.6	12.3	11.1	3.6	41.0
拡張オーディエンス	10.9	19.6	22.2	23.5	10.4	9.6	3.9	39.1

新聞協会広告委員会「2019年新聞オーディエンス調査」より

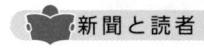

メディアに対する印象と評価

▶各メディアの印象・評価（複数回答、n=1,200、単位％）

	新　聞	テレビ	雑　誌	ラジオ	ネットニュース	ポータルサイト・検索	ＳＮＳ
知的である	64.2	23.7	6.3	6.8	9.2	4.3	2.7
安心できる	53.8	39.7	2.8	9.6	9.5	3.9	3.0
情報が正確である	51.5	41.6	3.1	7.8	11.0	4.8	3.0
教養を高めるのに役立つ	49.9	32.9	10.4	7.4	12.6	13.4	6.3
情報の信頼性が高い	49.6	41.1	1.9	7.3	11.3	5.6	2.9
情報が整理されている	48.6	39.2	3.2	4.4	12.9	6.2	3.2
接触が大切だと思う	48.3	47.6	3.3	8.3	14.4	8.7	9.0
地域に密着している	46.3	32.0	3.4	9.8	7.3	5.0	7.7
読んだことが記憶に残る	43.4	48.9	8.1	7.4	14.3	8.4	12.4
情報の重要度がよく分かる	41.0	48.3	1.8	4.8	11.8	6.1	5.8
就職活動の重要な情報源	40.3	25.8	6.3	4.5	15.0	16.3	10.3
仕事に役立つ	38.9	35.8	4.4	5.8	19.1	16.1	9.3

物事の正体操守に（一部不明）	37.4	40.9	2.4	4.3	12.2	9.8	6.8
社会に対する影響力がある	36.8	67.7	5.3	7.7	21.0	9.6	24.1
バランスよく情報を得られる	36.1	45.0	1.2	5.7	16.7	8.5	5.4
世の中の動きを幅広く捉えている	35.8	48.2	1.6	5.0	16.1	8.6	9.4
自分の視野を広げてくれる	35.6	45.3	7.8	7.5	20.3	16.2	18.1
情報量が多い	34.4	47.9	3.8	5.1	25.7	18.3	13.3
情報源として欠かせない	34.4	58.8	2.3	8.7	26.3	16.5	16.3
日常生活に役立つ	34.3	55.8	4.9	9.0	25.4	19.8	18.5
世論を形成する力がある	34.2	55.7	2.4	5.0	14.1	7.0	14.8
中立・公正である	33.8	29.1	1.1	4.4	7.6	3.9	3.6
分かりやすい	31.3	60.6	2.8	7.0	19.3	11.9	10.0
親しみやすい	29.9	60.6	3.4	11.8	20.2	11.0	15.8
話のネタになる	24.4	55.9	6.5	7.8	24.9	11.5	26.9
情報が速い	13.4	50.1	0.8	9.2	37.6	15.0	21.8

新聞協会広告委員会「2019年新聞オーディエンス調査」より
新聞は紙のほか、インターネット経由で見聞きする新聞の情報を含む
テレビ、雑誌、ラジオについても同様

主要メディアの接触状況

▶各メディアに接触している人の割合(n=1,200、単位%)

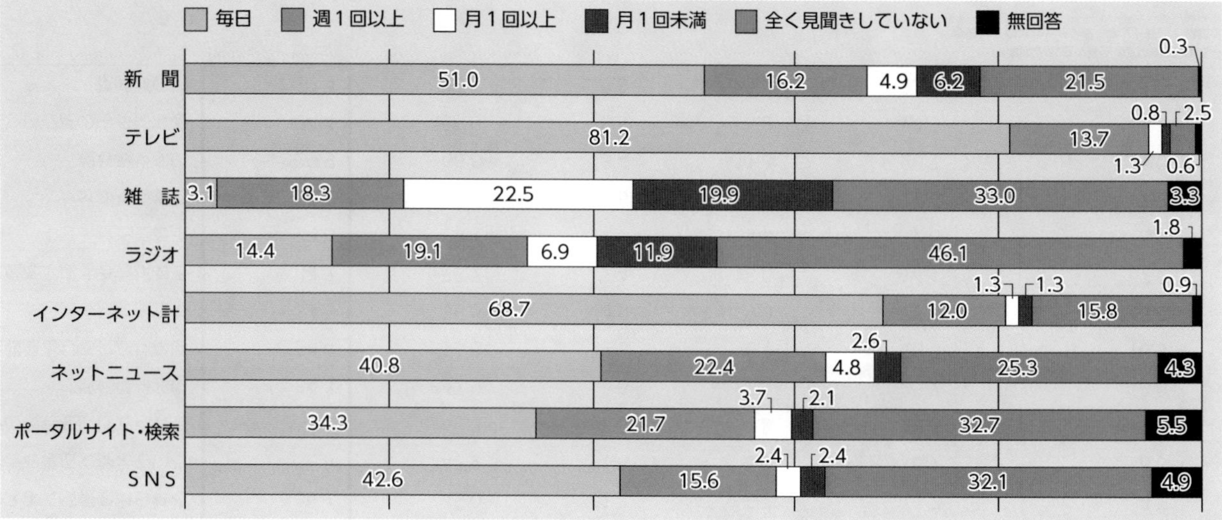

凡例: 毎日 / 週1回以上 / 月1回以上 / 月1回未満 / 全く見聞きしていない / 無回答

メディア	毎日	週1回以上	月1回以上	月1回未満	全く見聞きしていない	無回答
新聞	51.0	16.2	4.9	6.2	21.5	0.3
テレビ	81.2	13.7	0.8	1.3	2.5	0.6
雑誌	3.1	18.3	22.5	19.9	33.0	3.3
ラジオ	14.4	19.1	6.9	11.9	46.1	1.8
インターネット計	68.7	12.0	1.3	1.3	15.8	0.9
ネットニュース	40.8	22.4	4.8	2.6	25.3	4.3
ポータルサイト・検索	34.3	21.7	3.7	2.1	32.7	5.5
SNS	42.6	15.6	2.4	2.4	32.1	4.9

新聞協会広告委員会「2019年新聞オーディエンス調査」より
四捨五入のため、構成比率の合計は100.0にならない場合がある

記事の満足度と戸別配達へのニーズ

▶新聞記事の満足度（n＝3,051、単位％）

凡例: ■満足している ■まあ満足している ■どちらとも言えない □ほとんど読まない □無回答 ■やや不満である ■不満である

記事	満足している	まあ満足している	どちらとも言えない	ほとんど読まない	やや不満である	不満である	無回答
テレビ・ラジオ欄	16.1	35.0	24.2	20.7	2.2	1.3	0.5
社会に関する記事	7.8	38.2	26.3	20.5	2.1	3.4	1.8
地域に関する記事	11.0	34.9	26.1	19.4	2.1	4.9	1.5
スポーツ・芸能に関する記事	8.1	33.8	30.4	20.6	2.2	3.8	1.0
政治に関する記事	6.7	34.2	27.0	22.9	2.1	4.5	2.7
経済に関する記事	6.7	33.4	28.9	23.8	2.2	3.5	1.5
生活・健康に関する記事	6.9	31.5	33.5	20.6	2.4	4.0	1.1
文化に関する記事	6.0	31.6	33.8	21.5	2.7	3.5	1.0
国際情勢に関する記事	6.2	30.6	30.5	23.0	2.6	4.3	2.8
社説・解説欄	7.5	26.4	31.6	26.0	3.0	3.6	1.9

新聞通信調査会「メディアに関する全国世論調査」（2019年）をもとに作成
四捨五入のため、構成比率の合計は100.0にならない場合がある

▶新聞の戸別配達へのニーズ（n＝1,214、単位％）

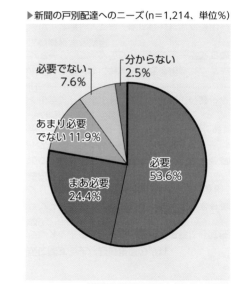

必要 53.6％／まあ必要 24.4％／あまり必要でない 11.9％／必要でない 7.6％／分からない 2.5％

新聞公正取引協議委員会調べ（2019年11月現在）

43

欧州と日本の新聞に対する税率

(単位：％)

国　名	標準税率	新聞の税率	電子版税率
オーストリア	20	10	
ベルギー	21	0	0
ブルガリア	20	20	
クロアチア	25	5	
キプロス	19	5	
チェコ	21	10	
デンマーク	25	0	0
エストニア	20	9	
フィンランド	24	10	10
フランス	20	2.1	2.1
ドイツ	19	7	7
ギリシャ	24	6	
ハンガリー	27	5	
アイルランド	23	9	9
イタリア	22	4	4

▶欧州における電子版に関する主な軽減税率の流れ

2012年1月	フランスとルクセンブルクが電子書籍に軽減税率を導入
14年2月	フランスでオンラインプレスにも軽減税率を適用
15年10月	イタリアで日刊・定期刊行物の電子版に軽減税率を適用することが決定
16年3月	ノルウェーが電子ニュース媒体にゼロ税率を適用
18年1月	スイスが電子著作物に軽減税率を導入
12月	欧州連合(EU)で新聞・書籍・雑誌の電子版に軽減税率の適用を認める修正指令が発効
19年1月	アイルランド、ポルトガルで電子版に軽減税率を適用
4月	ベルギーで電子版に軽減税率を適用
7月	デンマーク、フィンランド、スウェーデンで電子版に軽減税率を適用
20年1月	ドイツ、オランダで電子版に軽減税率を適用

ルクセンブルク	17	3	
マルタ	18	5	
オランダ	21	9	9
ポーランド	23	8	
ポルトガル	23	6	6
ルーマニア	20	5	
スロバキア	20	20	
スロベニア	22	9.5	
スペイン	21	4	
スウェーデン	25	6	6
イギリス	20	0	
アイスランド	24	11	11
ノルウェー	25	0	0
スイス	7.7	2.5	2.5
ウクライナ	20	0	

新聞協会調べ（2020年1月現在）
日刊紙の定期購読の場合

▨▨▨ ゼロ税率の国　　▨▨ 軽減税率の国　　☐ 標準税率の国

2016年3月	税制改革関連法案が成立。消費税率10％への引き上げ時に、定期的に購読される新聞に8％の軽減税率適用が決定
19年10月	消費税率が10％に。酒類および外食を除く飲食料品とともに、週2回以上発行される新聞の定期購読料に軽減税率を適用（一部売り、電子版は対象外）

資料編

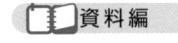

インターネットの利用状況とメディア環境の変化

▶年齢階層別インターネット利用状況(n=40,664、単位%)

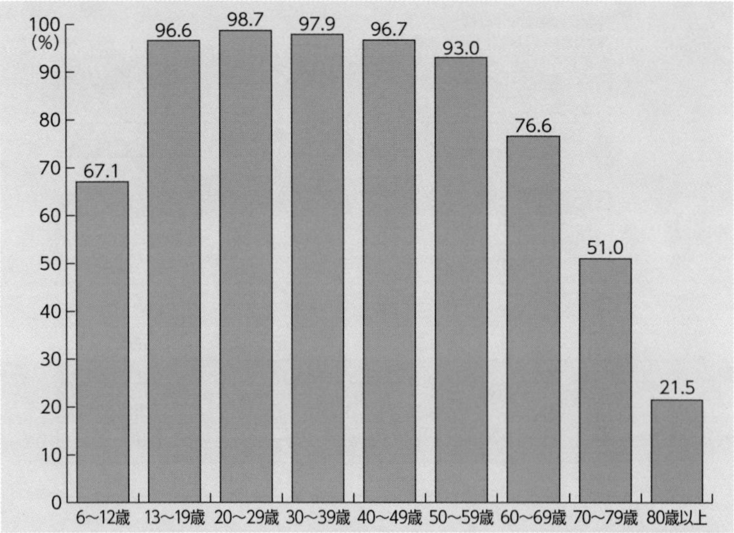

100 (%)
90
80
70
60
50
40
30
20
10
0
67.1
96.6
98.7
97.9
96.7
93.0
76.6
51.0
21.5
6〜12歳
13〜19歳
20〜29歳
30〜39歳
40〜49歳
50〜59歳
60〜69歳
70〜79歳
80歳以上

無回答は除いて算出

▶主な情報通信機器の保有率の推移(世帯)

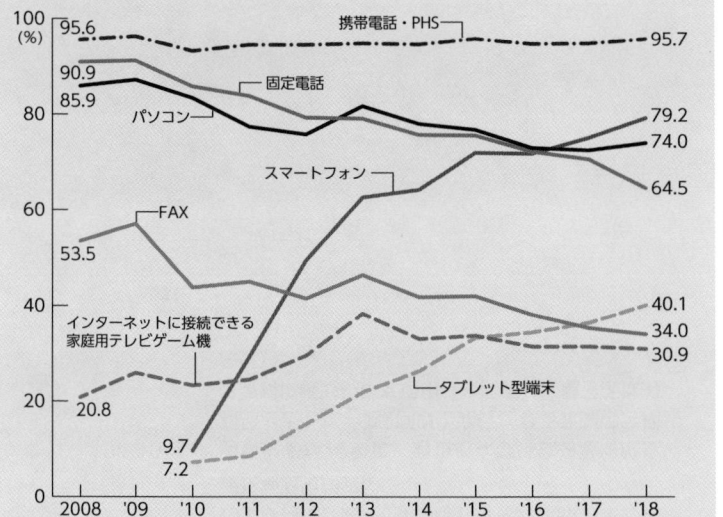

100 (%)
80
60
40
20
0
携帯電話・PHS
95.6
95.7
固定電話
90.9
パソコン
85.9
79.2
74.0
スマートフォン
64.5
FAX
53.5
インターネットに接続できる家庭用テレビゲーム機
40.1
34.0
30.9
タブレット型端末
20.8
9.7
7.2
2008
'09
'10
'11
'12
'13
'14
'15
'16
'17
'18

「携帯電話・PHS」には、2009年から12年までは携帯情報端末（PDA）、10年以降はスマートフォンを内数として含む
総務省「平成30年通信利用動向調査」をもとに作成

放送産業の売上高と事業者数

▶放送産業の市場規模（売上高集計）の推移と内訳

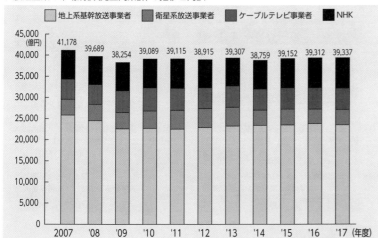

凡例：地上系基幹放送事業者／衛星系放送事業者／ケーブルテレビ事業者／NHK

年度	売上高（億円）
2007	41,178
'08	39,689
'09	38,254
'10	39,089
'11	39,115
'12	38,915
'13	39,307
'14	38,759
'15	39,152
'16	39,312
'17	39,337

衛星系放送事業者は、衛星放送事業に係る営業収益を対象に集計
ケーブルテレビ事業者は、IPマルチキャスト方式による事業者等を除く
NHKの値は、経常事業収入
総務省「令和元年版情報通信白書」をもとに作成

▶民間放送事業者数（2018年度末）

地上系			
	テレビジョン放送（単営）		95
	ラジオ放送（単営）	中波（AM）放送	15
		超短波（FM）放送	377
		うちコミュニティ放送	325
		短波	1
	テレビジョン放送・ラジオ放送（兼営）		32
	文字放送（単営）		0
	マルチメディア放送		6
	小　計		526
衛星系	衛星基幹放送	BS放送	22
		東経110度CS放送	20
	衛星一般放送		4
	小　計		41
ケーブルテレビ※	登録に係る有線一般放送（自主放送を行う者に限る）		504
	うちIPマルチキャスト放送		5
	小　計		504

衛星系は「BS放送」、「東経110度CS放送」及び「衛星一般放送」の2以上を
兼営している者があるため、それぞれの欄の合計と小計欄の数値とは一致しない
※ケーブルテレビの事業者数は2017年度末
総務省「令和元年版情報通信白書」をもとに作成

日本新聞協会の活動

▶ 新聞倫理の向上

新聞倫理綱領・新聞広告倫理綱領・
新聞販売綱領の実践

▶ 出版活動

出版活動（新聞協会報＝第2・4火曜日刊、
新聞研究＝年10回刊、新聞技術＝年3回刊
など）
ウェブサイト「プレスネット」など

▶ 広報

「新聞週間」「春の新聞週間」の実施
新聞PRイベントの実施
新聞文化賞、新聞協会賞ほかの表彰

▶ NIE（教育に新聞を）

NIE実践指定校の認定と新聞提供
全国大会やNIE月間の実施、各種調査など

▶ 教育・交流

各種セミナー・講座（編集・販売・広告・製
作・経営・労務・経理などを対象）
国際交流

▶ 調査・研究

読者調査・各種調査（経営・労務・業務・製
作技術・販売・広告・デジタルメディアなど）
の実施

▶ ニュースパーク

ニュースパーク（日本新聞博物館）の企画・
運営・管理

▶ニュースパーク（日本新聞博物館）について

　歴史と現代の両面から情報と新聞について学ぶ博物館。新聞の歴史を体系的に展示するほか、体験型展示をもとに現代の情報社会と新聞の役割を紹介しています。館内では、タブレット端末を使った取材体験ゲーム「横浜タイムトラベル」や、パソコンで新聞の製作体験ができます。

ニュースパーク
日本新聞博物館

☎045-661-2040
〒231-8311
横浜市中区日本大通11
横浜情報文化センター
https://newspark.jp/

　日本新聞協会は、自由で責任のある新聞を維持し発展させ、社会に奉仕するという目的のもとに集まった新聞、通信、放送各社によって、1946年7月に創立されました。
　2020年3月1日現在の会員数は129（新聞103、通信4、放送22）です。
　総会、理事会などの最高意思決定機関と各種専門事項について常時40以上の委員会・専門部会が設けられています。また事務局が事務処理と研究活動に当たっているほか、ニ

新聞倫理綱領

2000（平成12）年6月21日制定

　21世紀を迎え、日本新聞協会の加盟社はあらためて新聞の使命を認識し、豊かで平和な未来のために力を尽くすことを誓い、新しい倫理綱領を定める。

　国民の「知る権利」は民主主義社会をささえる普遍の原理である。この権利は、言論・表現の自由のもと、高い倫理意識を備え、あらゆる権力から独立したメディアが存在して初めて保障される。新聞はそれにもっともふさわしい担い手であり続けたい。

　おびただしい量の情報が飛びかう社会では、なにが真実か、どれを選ぶべきか、的確で迅速な判断が強く求められている。新聞の責務は、正確で公正な記事と責任ある論評によってこうした要望にこたえ、公共的、文化的使命を果たすことである。

　編集、制作、広告、販売などすべての新聞人は、その責務をまっとうするため、また読者との信頼関係をゆるぎないものにするため、言論・表現の自由を守り抜くと同時に、自らを厳しく律し、品格を重んじなければならない。

自由と責任

　表現の自由は人間の基本的権利であり、新聞は報道・論評の完全な自由を有する。それだけに行使にあたっては重い責任を自覚し、公共の利益を害することのないよう、十分に配慮しなければならない。

正確と公正

　新聞は歴史の記録者であり、記者の任務は真実の追究である。報道は正確かつ公正でなければならず、記者個人の立場や信条に左右されてはならない。論評は世におもねらず、所信を貫くべきである。

独立と寛容

　新聞は公正な言論のために独立を確保する。あらゆる勢力からの干渉を排するとともに、利用されないよう自戒しなければならない。他方、新聞は、自らと異なる意見であっても、正確・公正で責任ある言論には、すすんで紙面を提供する。

人権の尊重

　新聞は人間の尊厳に最高の敬意を払い、個人の名誉を重んじプライバシーに配慮する。報道を誤ったときはすみやかに訂正し、正当な理由もなく相手の名誉を傷つけたと判断したときは、反論の機会を提供するなど、適切な措置を講じる。

品格と節度

　公共的、文化的使命を果たすべき新聞は、いつでも、どこでも、だれもが、等しく読めるものでなければならない。記事、広告とも表現には品格を保つことが必要である。また、販売にあたっては節度と良識をもって人びとと接すべきである。

　新聞倫理綱領は1946（昭和21）年7月23日、日本新聞協会の創立に当たって制定されたものです。社会・メディアをめぐる環境が激変するなか、旧綱領の基本精神を継承し、21世紀にふさわしい規範として、2000年に現在の新聞倫理綱領が制定されました。

新聞販売綱領

2001(平成13)年6月20日制定

　日本新聞協会の加盟社は、「新聞倫理綱領」の掲げる理念を販売の分野においても深く認識し、その実践を誓って、新しい「新聞販売綱領」を定める。

販売人の責務　新聞が国民の「知る権利」にこたえ、公共的・文化的な使命を果たすためには、広く人々に読まれることが不可欠である。新聞販売に携わるすべての人々は、それぞれの仕事を通じ、民主主義社会の発展に貢献する責務を担う。

戸別配達の堅持　新聞は読者のもとに届けられてはじめて、その役割を果たすことができる。新聞がいつでも、どこでも、だれもが、等しく読めるものであるために、われわれは戸別配達を堅持し、常に迅速・確実な配達を行う。

ルールの順守　新聞販売に携わるすべての人々は、言論・表現の自由を守るために、それぞれの経営の独立に寄与する責任を負っている。販売活動においては、自らを厳しく律し、ルールを順守して節度と良識ある競争のなかで、読者の信頼と理解を得るよう努める。

読者とともに　新聞は読者の信頼があってこそ、その使命をまっとうできる。販売に携わるすべての人々は、読者の期待にこたえつつ、環境への配慮や地域貢献など、新しい時代にふさわしい自己変革への努力を続ける。

新聞広告倫理綱領

1958（昭和33）年10月7日制定
1976（昭和51）年5月19日改正

制定の趣旨

　　言論・表現の自由を守り、広告の信用をたかめるために広告に関する規制は、法規制や行政介入をさけ広告関係者の協力、合意にもとづき自主的に行うことが望ましい。

　　本来、広告内容に関する責任はいっさい広告主（署名者）にある。しかし、その掲載にあたって、新聞社は新聞広告の及ぼす社会的影響を考え、不当な広告を排除し、読者の利益を守り、新聞広告の信用を維持、高揚するための原則を持つ必要がある。

　　ここに、日本新聞協会は会員新聞社の合意にもとづいて「新聞広告倫理綱領」を定め、広告掲載にあたっての基本原則を宣言し、その姿勢を明らかにした。もとより本綱領は会員新聞社の広告掲載における判断を拘束したり、法的規制力をもつものではない。

　日本新聞協会の会員新聞社は新聞広告の社会的使命を認識して、常に倫理の向上に努め、読者の信頼にこたえなければならない。

1. 新聞広告は、真実を伝えるものでなければならない。
1. 新聞広告は、紙面の品位を損なうものであってはならない。
1. 新聞広告は、関係諸法規に違反するものであってはならない。

日本新聞協会の会員社一覧

（2020年3月1日現在、会員名簿順）

社　名	電話番号
▶東京地方	
朝日新聞東京本社	03(3545)0131
毎日新聞東京本社	03(3212)0321
読売新聞東京本社	03(3242)1111
日本経済新聞社	03(3270)0251
東京新聞	03(6910)2211
産経新聞東京本社	03(3231)7111
サンケイスポーツ	03(3231)7111
夕刊フジ	03(3231)7111
ジャパンタイムズ	050(3646)0123
報知新聞社	03(5479)1111
日刊工業新聞社	03(5644)7000
日刊スポーツ新聞社	03(5550)8888
日本工業新聞社	03(3231)7111
スポーツニッポン新聞社	03(3820)0700

社　名	電話番号
電波新聞社	03(3445)6111
日本海事新聞社	03(3436)3221
水産経済新聞社	03(3404)6531
東京ニュース通信社	03(6367)8000
日本農業新聞	03(6281)5801
共同通信社	03(6252)8000
時事通信社	03(6800)1111
エヌピー通信社	03(6263)2093
日本放送協会	03(3465)1111
TBSテレビ	03(3746)1111
文化放送	03(5403)1111
ニッポン放送	03(3287)1111
日本テレビ放送網	03(6215)1111
フジテレビジョン	03(5500)8888
テレビ朝日	03(6406)1111

社　名	電話番号
エフエム東京	03(3221)0080
東京メトロポリタンテレビジョン	03(5276)0009
WOWOW	03(4330)8111
日本BS放送	03(3518)1800
▶大阪地方	
朝日新聞大阪本社	06(6231)0131
毎日新聞大阪本社	06(6345)1551
読売新聞大阪本社	06(6361)1111
日本経済新聞大阪本社	06(7639)7111
産経新聞大阪本社	06(6633)1221
日刊スポーツ新聞西日本	06(6229)7005
朝日放送	06(6458)5321
毎日放送	06(6359)1123
関西テレビ放送	06(6314)8888
読売テレビ放送	06(6947)2111

社　名	電話番号
▶北海道地方	
北海道新聞社	011(221)2111
室蘭民報社	0143(22)5121
十勝毎日新聞社	0155(22)2121
釧路新聞社	0154(22)1111
苫小牧民報社	0144(32)5311
函館新聞社	0138(40)7171
北海道日刊スポーツ新聞社	011(242)3900
道新スポーツ	011(241)1230
▶東北地方	
東奥日報社	017(739)1500
陸奥新報社	0172(34)3111
デーリー東北新聞社	0178(44)5111
岩手日報社	019(653)4111
岩手日日新聞社	0191(26)5114
河北新報社	022(211)1111
秋田魁新報社	018(888)1800

社　名	電話番号
北羽新報社	0185(54)3150
山形新聞社	023(622)5271
荘内日報社	0235(22)1480
米澤新聞社	0238(22)4411
福島民報社	024(531)4111
福島民友新聞社	024(523)1191
いわき民報社	0246(23)1666
▶関東地方	
茨城新聞社	029(239)3001
下野新聞社	028(625)1111
上毛新聞社	027(254)9911
桐生タイムス社	0277(46)2511
埼玉新聞社	048(795)9930
神奈川新聞社	045(227)1111
千葉日報社	043(222)9211
▶中部地方	
山梨日日新聞社	055(231)3000

社　名	電話番号
静岡新聞社	054(284)8900
信濃毎日新聞社	026(236)3000
長野日報社	0266(52)2000
南信州新聞社	0265(22)3734
市民タイムス	0263(47)7777
中日新聞社	052(201)8811
中部経済新聞社	052(561)5215
東愛知新聞社	0532(32)3111
岐阜新聞社	058(264)1151
CBCテレビ	052(241)8111
東海テレビ放送	052(951)2511
名古屋テレビ放送	052(331)8111
テレビ愛知	052(203)0250
中京テレビ放送	052(582)4411
▶北陸地方	
新潟日報社	025(385)7111
北日本新聞社	076(445)3300

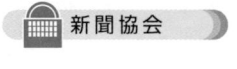 新聞協会

社　名	電話番号
北國新聞社	076(263)2111
中日新聞北陸本社	076(261)3111
福井新聞社	0776(57)5111
日刊県民福井	0776(28)8611
▶近畿地方	
伊勢新聞社	059(224)0003
夕刊三重新聞社	0598(21)6113
京都新聞社	075(241)5430
神戸新聞社	078(362)7100
奈良新聞社	0742(32)1000
紀伊民報社	0739(22)7171
▶中国地方	
山陽新聞社	086(803)8008
中国新聞社	082(236)2111
新日本海新聞社	0857(21)2888

社　名	電話番号
島根日日新聞社	0853(23)6760
山口新聞社	083(266)3211
宇部日報社	0836(31)4343
▶四国地方	
徳島新聞社	088(655)7373
四国新聞社	087(833)1111
愛媛新聞社	089(935)2111
高知新聞社	088(822)2111
▶九州地方	
西日本新聞社	092(711)5555
朝日新聞西部本社	093(563)1131
毎日新聞西部本社	093(541)3131
読売新聞西部本社	092(715)4311
佐賀新聞社	0952(28)2111
長崎新聞社	095(844)2111

社　名	電話番号
大分合同新聞社	097(536)2121
宮崎日日新聞社	0985(26)9315
夕刊デイリー新聞社	0982(34)5000
南日本新聞社	099(813)5001
南海日日新聞社	0997(53)2121
沖縄タイムス社	098(860)3000
琉球新報社	098(865)5111
八重山毎日新聞	0980(82)2121
宮古毎日新聞社	0980(72)2343

会員総数	129

▶日本新聞協会のデータ

経営業務部 業務担当　　☎ 03-3591-4405
　「日刊紙の都道府県別発行部数と普及度」
　「全国新聞販売所従業員総数調査」

経営業務部 経営担当　　☎ 03-3591-3460
　「新聞社総売上高推計調査」
　「新聞事業の経営動向」
　「新聞・通信社の従業員数・労務構成調査」
　「新聞用紙の生産と消費」
　「国内で生産される新聞用紙の種類」
　「欧州と日本の新聞に対する税率」

編集制作部 技術・通信担当　　☎ 03-3591-6806
　「新聞の印刷拠点」
　「新聞・通信社間の災害・障害発生時援助協定」

編集制作部 デジタルメディア担当
　　　　　　　　　　　　☎ 03-3591-3461
　「デジタルメディアを活用した新聞・通信社の情
　　報サービス現況調査」

出版広報部 出版広報担当　　☎03-3591-6148
　「日本メディアの海外特派員」

企画開発部 企画開発担当　　☎ 03-3591-4637
　「新聞界の第3次自主行動計画の推進」

新聞教育文化部 NIE担当　　☎ 03-3591-4410
　「NIE実践指定校」

広告部 広告担当　　☎ 03-3591-4407
　「新聞オーディエンス調査」
　　新聞広告データアーカイブ
　　https://www.pressnet.or.jp/adarc/

▶公的統計データ
総務省「住民基本台帳」「通信利用動向調査」「情報
通信白書」
内閣府「国民経済計算」
文部科学省「全国学力・学習状況調査」

▶その他のデータ
WAN-IFRA「World Press Trends」
電通「日本の広告費」「電通広告統計」
フォーリン・プレスセンター「日本で活動する海外
メディア」
国立教育政策研究所「OECD生徒の学習到達度調査
(PISA) 2018年調査国際結果報告書」
古紙再生促進センター「古紙回収率と回収量」
新聞通信調査会「メディアに関する全国世論調査」
新聞公正取引協議委員会「新聞の戸別配達へのニーズ」

データブック　日本の新聞　2020

2020年4月1日発行

編集・発行　一般社団法人　日本新聞協会

The Japan Newspaper Publishers & Editors Association

〒100-8543　東京都千代田区内幸町2-2-1　日本プレスセンタービル7階

ホームページ　https://www.pressnet.or.jp/

TEL 03-3591-6148　FAX 03-3591-6149

e-mail:shuppan@pressnet.or.jp

定価　550円（税込み）

購入に関する問い合わせ　TEL 03-3591-3469

一般社団法人 日本新聞協会

データブック
日本の新聞 2020

9784889290813

ISBN978-4-88929-081-3
C0000 ¥500E

定価 550円（税込み）

1920000005005

DATA BOOK

データブック
日本の新聞2024

一般社団法人 日本新聞協会

データブック 日本の新聞 2024